可怕的科学
HORRIBLE SCIENCE

目瞪口呆话发明
EVIL INVENTIONS

[英]尼克·阿诺德／著　　[英]托尼·德·索雷斯／绘　　陈伟民／译

北京出版集团

北京少年儿童出版社

著作权合同登记号

图字:01-2011-4728

图书在版编目(CIP)数据

目瞪口呆话发明 / [英]阿诺德著;[英]索雷斯绘;
陈伟民译 . —北京:北京少年儿童出版社,2013. 1(2024.10 重印)
(可怕的科学·经典科学系列)
书名原文:Evil Inventions
ISBN 978-7-5301-3301-9

Ⅰ.①目…　Ⅱ.①阿…　②索…　③陈…　Ⅲ.①创造发
明—少年读物　Ⅳ.①G305-49

中国版本图书馆 CIP 数据核字(2012)第 258253 号

可怕的科学·经典科学系列
目瞪口呆话发明
MUDENG-KOUDAI HUA FAMING
[英]尼克·阿诺德　著
[英]托尼·德·索雷斯　绘
陈伟民　译
*
北 京 出 版 集 团
北 京 少 年 儿 童 出 版 社　出版
(北京北三环中路6号)
邮政编码:100120
网　　址:www . bph . com . cn
北 京 少 年 儿 童 出 版 社 发 行
新 华 书 店 经 销
三河市天润建兴印务有限公司印刷
*
787 毫米×1092 毫米　16 开本　8.75 印张　105 千字
2013 年 1 月第 1 版　2024 年 10 月第 47 次印刷
ISBN 978－7－5301－3301－9
定价:22.00 元
如有印装质量问题,由本社负责调换
质量监督电话:010－58572171

目 录

引 子

你是否曾经梦想发明一台神奇的机器或是一种聪明的方法来做事情？如果是的话，你想发明的东西会不会像下面这些……

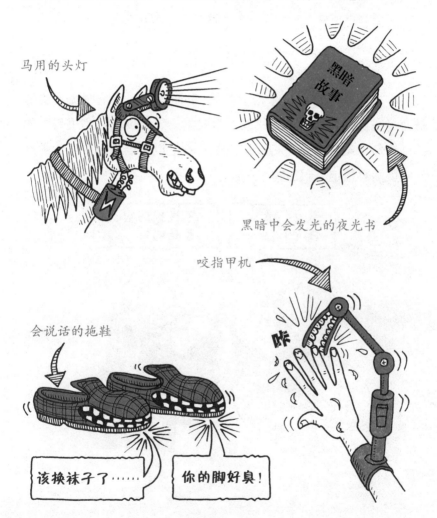

马用的头灯

黑暗故事

黑暗中会发光的夜光书

咬指甲机

会说话的拖鞋

该换袜子了……

你的脚好臭！

咔

在这本书中，我们将探索奇妙又疯狂的发明世界，认识许多改变历史的重要发明，以及一些不可思议的愚蠢主意。

作者的重要声明

天啊！世界上的发明多得数不清，根本无法全都写进这本书里。所以我只能告诉你一些重要的聪明的发明以及……一些令人瞠目结舌的笨发明！

本书叫作《目瞪口呆话发明》，里面还提到了发明史上的黑暗面——例如残酷的杀人机器。事实上，等你读完整本书后，你甚至会怀疑某些发明是否应该出现，不过说不定你也会认为那些发明虽然可怕但是很厉害……

如何成为神奇的发明家

你能想出一个不可思议的发明，然后赚进大把大把的钞票，而且使自己变得超级有名吗？在本章中，你将学到成为一名发明家的重要诀窍，并检验自己成功的机会有多大……

发明家的培训课程

第一课　你渴望发明吗

任何人只要想，就有可能成为发明家……各行各业、男女老少都有机会。本书的顾问 Z 教授和肮脏的诺拉都是疯狂的发明家，他俩整天都忙着发明，并想借此称霸世界。不过现在，他们决定暂时放下邪恶的发明工作，为我们讲解那些发明背后的科学原理……

大多数发明家都是好人，只是有些人喜欢穿着皱巴巴的衣服，两脚套着不一样的袜子，脸上还带着愚蠢的表情。

每位发明家投入发明工作的理由都不同，有些人觉得能想出奇妙的点子很快乐，有些人想改善人类的生活，但有些人只想获得名声和……

大把大把的钞票！

不过，在你赚进大把大把的钞票之前，必须先具备某些条件。

第二课　聪明的点子

任何人都可以想出聪明的点子……好吧，可能不是每个人都可以，我可不敢说你的宠物狗会有什么聪明的点子……

我有个自动捕猫机的点子……

它在打什么主意？

如果你的点子可以改变世界，同时又是人们迫切需要的发明，他们就会愿意付钱……

比如一把激光枪！

咔嚓

不！Z教授——我说的是御寒耳罩……

切斯特·格林伍德的秘密日记

美国缅因州，1873年

我的生日

亲爱的日记：

我的耳朵毁了我的生活！今天是我的生日，有人送给我一双溜冰鞋。我心里想：哇，太棒了！我巴不得立刻跑到外面结冰的池塘上试一下。今天下雪，天气冷得要命——正好适合溜冰。但是对我的一双招风耳来说，实在太冷了！我的耳朵在冷风中由红变紫、由紫变白，每个人见了都嘲笑我。今天，这对招风耳真是让我大大地丢脸了，甚至连冰也溜不成！

第二天

亲爱的日记：

今天我想了个聪明的法子！为了让耳朵保持温暖，我决定用围巾包住耳朵。嗯，一开始，这好像是个不错的点子。但是把围巾绕在脸上，实在很难好好溜冰。围巾上的羊毛扎得我的耳朵痒得不得了，我只好停下来抓痒。但是当我把围巾取下的时候，冷风简直快把我的耳朵冻掉了。

第三天

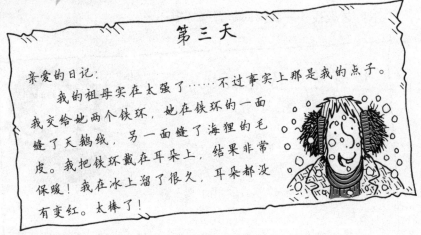

亲爱的日记：

我的祖母实在太强了……不过事实上那是我的点子。我交给她两个铁环，她在铁环的一面缝了天鹅绒，另一面缝了海狸的毛皮。我把铁环戴在耳朵上，结果非常保暖！我在冰上溜了很久，耳朵都没有变红。太棒了！

怕冷的切斯特发现了人们的一个需求——寒冷的冬天在室外要避免耳朵被冻坏，而且也想出了解决这个需求的点子。不过故事并未就此打住，切斯特后来又拿一段铁丝绕过头顶，把左右两块御寒耳罩连接了起来。1877 年，他认为这项发明已经可以公开发售了，当时他是这么说的：

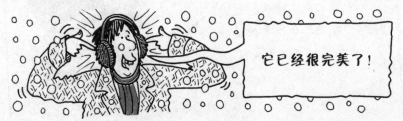

它已经很完美了！

不久，大批顾客跑到他的店里高喊要购买御寒耳罩，呼声震天，简直快把屋顶给掀了。如今在切斯特的故乡，每年 12 月 21 日都会以游行来庆祝这项发明，并举办"谁的耳朵最冷"竞赛。

如果你发明了很棒的东西，而且不希望其他人偷走你的点子，假装是他们先想到的，你就必须为自己的发明申请专利。有了专利，你就是唯一可以制造和贩卖这项发明的人。申请专利时，必须详细描述你的发明：它如何运作以及具有什么创新之处。听起来好像很麻烦？你说对了……的确很麻烦，而且要花很多金钱和很多时间才能取得专利。

第三课　随身携带笔记本，随时随地画下草图

　　菜鸟发明家需要准备一本用来记录灵感的笔记本。如果你没有笔记本，可以用学校作业本，甚至一张卫生纸代替。当然，如果能把你的点子画下来会更好！哦，没错，如果你是每天早上起床就能想出 10 个聪明点子的人，那就更需要笔记本了，下面就有一位如此厉害的发明家……

不可思议的发明家

姓名： 达·芬奇（1452—1519）

国籍： 意大利

成名原因： 许多专家认为达·芬奇是有史以来最伟大的艺术家之一。他一生的大部分时间都住在米兰及意大利的其他城市，并在那些地方完成了很多伟大的画作，例如《蒙娜丽莎》。如果你觉得这样还不够厉害的话，那么我告诉你，他还设计了许多不可思议的东西，多到可以写满几千页厚的笔记本……

不可思议的发明： 达·芬奇曾经设计了潜水艇、直升机、飞行器、潜水衣、利用弹簧操控的车子，还有一种穿盔甲的机器人，而且比任何人都早了几百年想到这些点子。

可怕的细节：达·芬奇是"可怕的"科学家的先驱。为了提高自己的绘画技巧，他曾经砍掉死人的头；而且喜欢恶作剧，例如在宴会中往牛的肠子里灌满空气……

漏网新闻：达·芬奇的大多数发明从来没有付诸实践，所以在他死后就被人们遗忘了。据说，他曾经请了一位助手测试他的飞行器，结果坠毁了。

悲惨的结局：法国国王曾邀请这位艺术家住进皇家城堡里，最后达·芬奇就在那里过世。300年之后，当人们重新整修达·芬奇的墓时，他的骨骸被挖了出来，但没多久竟然失踪了。据说是当地的儿童把达·芬奇的骨头拿去玩九柱游戏（类似今日的保龄球）了。

以下是达·芬奇笔记中的一页，附有他的部分发明……

我不可思议的发明

达·芬奇 著

哇！

以弹簧驱动的飞行器

好啦，这页笔记是我们的插画家——托尼伪造的，不过他的天分也不差呀！真正的达·芬奇笔记是用镜像（反着写的）文字书写的，我们一个字也看不懂。

现代的科学家认为，达·芬奇设计的飞行器与直升机无法获得足够的动力，不可能飞得起来；但是在 2000 年，跳伞高手艾德里安·尼克拉斯在南非曾经试用了达·芬奇的降落伞。

当尼克拉斯从热气球上跳下时，他大喊道："达·芬奇先生，你可能是对的！"事实上，这顶降落伞运行良好，应该可以平安降落，不过这位理智的跳伞高手在着陆之前，还是打开了另一项现代的降落伞。

第四课　别忘了进行实验

掌握发明背后的科学原理很重要，而且你即将发现，大多数现代发明都是基于科学上的新发现。

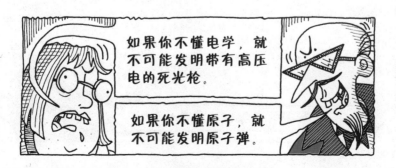

不过，我们现在要回过头来谈谈实验的重要性。即使你做出了夜光咬指甲机，也必须以科学的方法确认它能否正常运作。

你不该尝试的可怕实验

1859年，美国化学家罗伯特·切森堡（1837—1933）测试了一种粘在石油钻井机上的胶状物，形状与果冻相似，有些采油工人认为它可以加速人体伤口的复原。疯狂的罗伯特以一种病态的方式试验了这种物质——他竟然割伤并烧伤自己的身体，再把这种东西涂在伤口上，结果伤口果真很快就愈合了。罗伯特把这种物质命名为"凡士林"，而且为了宣传这种物质的神奇功效，他又烧伤或割伤自己好几次，然后骄傲地向人们展示愈合后的伤口……现在，凡士林已经被证实可以作为机械的润滑剂，还可以除去家具上的斑点。罗伯特因此过着富裕的生活，而且非常长寿。他曾经透露自己长寿的秘诀：就是每天服用一些凡士林！

严重警告

凡士林能帮助伤口愈合是因为它能隔绝微生物，但一条干净的绷带也具有同样的效果。至于吃凡士林……千万不要存有这种念头！如果你非吃不可，还是去吃真正的果冻吧！

果冻的口味也比较多！

下面这个实验也绝对不能尝试！你相信吗？1929年，一位年轻的德国外科医生为了测试他的新点子，竟然把一根管子插进……自己的心脏！当时帮助他的护士也许会这样回忆那次可怕的实验……

韦尔纳·福斯曼的
心导管实验

爱娃 著

在柏林市立医院里，每个人都认识韦尔纳·福斯曼，也都知道他的脾气古怪。他有点儿孤僻，喜欢独来独往，而且常常阅读兽医杂志里用橡皮管帮动物抽血的文章……没搞错吧！兽医杂志？他治疗的对象应该是人，不是动物呀！但我猜他的心导管的点子，应该就是这么来的。

"真的很安全，爱娃。"他信誓旦旦地说，"我只不过是要你切开我的一条静脉，然后插进一条橡皮管而已。我会

把这条橡皮管引导到我的心脏的。如果实验成功，我的新发明就可以让医生把药物直接送进病人的心脏。"

韦尔纳很兴奋，眼睛闪烁着奇异的光芒，但是我觉得这事儿不靠谱。

"我觉得不安全。"我担心地说。

"很安全，我保证！"韦尔纳说，"我之前在死人身上试过，他完全没有任何抱怨！"

到了实验那一天，我还是很担心，不过我是一名护士，

我所接受的训练就是要完全服从医生的指示。所以我在韦尔纳的手臂上切开一条静脉，再把管子插进去，然后拿着镜子，这样当韦尔纳把管子推高时，就可以看到X光屏幕了。屏幕上，橡皮管变成黑色的阴影，伸进韦尔纳的静脉，而当他把管子慢慢推进自己的身体时，阴影也逐渐朝他的心脏靠近。

我吓坏了，紧张得喘不过气来。我心想，这太疯狂了……

但是一切都太迟了。

最后，韦尔纳气喘吁吁地停了下来，额头上冒出斗大的汗珠。

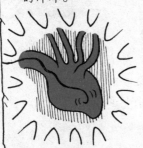

"我感觉它已经进入我的心脏了。"他有气无力地说。我紧张地盯着X光屏幕，心想，我看到它了。

"我一定要把这一切告诉其他医生。"韦尔纳喘着气，带着胜利的口吻说。"等一下……"我大叫一声试图阻止他。

但是我还是迟了一步。韦尔纳已经走出X光室，管子的一头还插在他的心脏里面，而另一头仍垂吊在他的手臂上。我听到他拖着沉重的脚步，痛苦地爬了两层楼——我当然愿意帮助他，但是被他拒绝了——就像典型的外科医生那样，他什么事都要亲力亲为。我后来听说，他去找了一位之前不相信他的医生，两人一起在另一部X光屏幕上检视影像，并且拍了照片。

几分钟之后，韦尔纳回来了。他的脸色看起来更加苍白，因为极度痛苦而双唇紧闭。

"我觉得不太舒服。"他虚弱地说，"也许我该躺下了。"当我轻轻地帮他把管子从手臂中拉出来时，紧张得快要把嘴唇咬破了。我真的很想对他说："你这个笨蛋，当然会不舒服呀！心脏里有根管子，还爬了两层楼，谁会觉得舒服？"不过，我们护士不能这样对外科医生说话，所以我什么也没说，继续工作，直到把管子从他的心脏里抽出来。

"谢谢你。"韦尔纳喘着气说，脸因为流汗而又湿又冷，"我由衷地感谢你。"

韦尔纳·福斯曼冒着生命危险发明了一种救人的方法，因此获得了 1956 年的诺贝尔医学奖，虽然等了将近 30 年才获奖，但至少没有白等。

第五课　找到支持你的机构

每位成功的发明家都需要很多钱，所以如果你具备以下几项条件，将会很有帮助……

有钱的父母

自己的私人工厂

钱多到花不完的合伙人

如果家人对于你把自己关在房间里好几个月的行为，不但能够体谅而且毫不在乎，那就更完美了。当然你也可能必须挑选一些朋友当帮手，美国顶尖的发明家托马斯·爱迪生（1847—1931）就是这么做的。他在美国门洛帕克建立了一家发明"工厂"，那里有许多工具、零件和材料，可以用来制造自己的发明。爱迪生一生都在构思发明，而他才华横溢的团队则负责制造，这套方法很有效。爱迪生一生共提出了约2 000项新的发明，包括早期的电影、电灯泡、供电系统和录音机。

爱迪生是有史以来提出最多项发明的人。他实在太成功了，所以如果现在要指出他的产品的一些缺陷，实在很煞风景……不过只有少数人看过他的电影，他的电灯泡及发电厂需要极大的改进才能正常运作，而且他本人从来没有想过会有谁想听录制的音乐。

爱迪生灵光一闪

哦，没错，我们更不应该提到他的坏习惯，例如往地板上吐痰（他说往地板上吐痰比用痰盂好，因为不可能失误）。

现在的发明家比爱迪生时代的发明家更需要庞大的组织作为后盾，因为研发和测试新点子都要花很多钱，所以现代的发明家通常为大公司工作……

是是是！

我的助手"说服"了很多科学家为我工作！

第六课　永不放弃

不幸的是，即使经过精密的测试，又有一卡车的钞票作为后盾，大多数的发明还是失败了。人们如果不喜欢那些新发明就不会花钱购买。有时候，则是制造的成本太高而无法实现。

你肯定不知道！

20世纪90年代，美国发明家约瑟夫·卡沃斯基为了把死人封进玻璃里，花了一大笔钱。这项工作比你想象的困难，因为如果温度高到玻璃会熔化的程度，人体也会被烤焦。后来，他设法依照人体的形状做了一些容器，然后向容器中灌入液态玻璃。不过卡沃斯基的玻璃梦最终还是破灭了，因为人们并不喜欢已过世的亲人隔着餐桌瞪着他们看。也许他应该改做宠物的玻璃镇纸！

好乖，金宝！

许多发明在测试阶段就失败了（我觉得这有点儿像小孩子，一考试就不及格）。爱迪生曾说：

你一定要让自己的发明最终成功，我就是不断地从失败中学习，直到……

别吐在我这干净整洁的书上！

爱迪生的意思是说，发明家可以从失败的经验中学习，改进他们的发明，直到成功。下次你科学考试不及格时，敢不敢引用这句话说给老师听？

本书的发明家培训课程当然认为你不应该放弃，以下的真实故事或许能鼓舞你继续奋斗下去……

不可思议的"橡胶人"

19世纪30年代，很多发明家都"胶着"在一个令人焦躁不安的难题上。他们已经知道把橡树割开后，橡树分泌的黏稠树汁（就是橡胶）可以用来制作许多物品。但是天然橡胶在温度高的日子会软化，在温度低的时候又会破裂，一定得想办法改善，否则连雨鞋都做不成。在美国，有位发明家一直努力想找出解决的办法，他的名字叫作查尔斯·固特异……

查尔斯对橡胶十分狂热，他曾经头戴橡胶帽、脖子上打橡胶领带，还把自己的肖像画在橡胶上。而且你一定不相信，他甚至把自传写在橡胶做成的书页上。

哇，写错字了，我的橡皮擦呢？

如果他有一本橡胶日记，内容大概会像这样……

警告多愁善感的读者

这个故事极度悲惨，你可能会为橡胶放声大哭。但即使你深受感动，也不要把鼻涕擦在这本书上——它可不是橡胶制成的，所以擦不干净！

我的橡胶日记

查尔斯·固特异 著

1834年 我有一个梦想，想要发明一种新橡胶，它不会软化，也不会破裂。但现在我遇到了麻烦——因为付不起5英镑的住宿费而被关进牢里。嗯，还好有个朋友给了我一点儿钱，而且我太太也把她的擀面杖借给了我，所以我在牢里还可以继续工作。我想，到了明年的这个时候，我一定会发财的！

1837年 对我们固特异家族来说，这几年运气真的很差。我因为做实验时吸入了太多废气差点儿中毒，而且实验所产生的臭味让邻居很生气，所以我们必须搬家。后来，我发现硝酸会让橡胶变硬，为了制造这种新物质，我花钱试了两次：第一次害得我的合伙人破产了，第二次害得我自己也破产了。我为美国政府制造的橡胶邮袋，被证明根本没有用。现在，我又到了牢里。但是我不会放弃自己的梦想，我要像橡皮球一样反弹，到时候我就发财了，你们等着瞧！

1839年 昨天晚上，我有了一项重大的发现！由于我的疏忽，不小心将一团混了硫的橡胶掉到了我太太的炉子上，它本应该软化才对，可结果却没有。那一小团橡胶被烧

真臭！臭！臭！好臭！

成了黑色，却奇迹般地变得很强韧。我兴奋得全身发抖，决定把那团橡胶留在厨房门外度过寒冷的夜晚，试试看它会不会破裂。结果也没有！今天早上它还是一样有弹性。我终于破解了这个难题（幸好橡胶没有破裂）。过了这么多年，幸运之神总算对我微笑了！

弯曲

1844年　几年来，我一直在测试我的新发明。因此，我可怜的家人变得无家可归，不得不住在破旧的工厂里，穿着橡胶鞋，用橡胶盘子吃饭，而且我必须去乞讨食物。在这悲惨的几年里，我有6个可怜的孩子夭折了，我不得不变卖家里的一切，甚至包括孩子的书。但是我从未出卖过我的梦想，终于，我的新橡胶要开始在工厂制造了。明年的这个时候，我就发财了！

我总是能够重新振作！

嗯，故事接下来是怎么发展的呢？查尔斯·固特异为了发明他的"硫化橡胶"而艰苦了一辈子，他不得不住在破屋里，挨饿受冻。他因为生活的艰难困苦而变成了一个跛子，必须挂着拐杖才能行走。结果，别人却偷了他的发明……

19 世纪 60 年代，产值高达数百万美元的橡胶工业开始兴起，可是竟然没有一个人向它的发明者说声"谢谢"。查尔斯说他并不在乎钱，只是想帮助别人。可是，他不但没有发财，最后还默默无闻地死去。

现在，就请 Z 教授为我们讲解一下查尔斯的发明……

嗯，本书的发明家培训课程到此结束。现在告诉你一个坏消息，即使你再怎么努力，你的发明仍然不一定会成功。根据美国发明家阿特·弗赖伊（即时贴的发明者）的说法，每 5 000 个点子中，只有 1 个能够成功变成商品。

现在要进一段广告，介绍一些不是很成功的发明……

搞怪广告时间（一）

搞怪广告中的所有发明都有专利，但它们要么是从来没有变成商品，要么就是上市后无人问津。据我所知，至今仍在销售的，一件也没有。

狗用手表

您的宠物狗终于有自己的专用手表了！这是世界上第一款狗用手表！您的狗狗再也不会缠着您问时间，也不会时间还没到就吵着要出去散步了。这款精密的定时器*是1991年由美国钟表学**大师贡献犬马之力的惊人杰作，上面设定了狗狗专用的时间（1年当成7年），可以让您的爱犬知道它的一生溜走得有多快！

糟糕，我迟到了！

*钟表的专业术语
**打造钟表的工艺

为您的爱犬提供保护措施

呃？

恶犬，快上车！

狼吞虎咽！

狗用保险杆

能够防止您的爱犬在车祸中受伤，现在它只能在圈圈里弹来弹去。

狗用抬耳器

可以防止狗狗的长耳朵掉进食盆里。

再见，拉屎狗

有了这个狗狗专用的马桶，您的爱犬就再也不会随地大小便了。不过，您必须训练它爬上美丽的阶梯，坐在设计精良的马桶活动地板上。

不要偷看！

当您的爱犬上完厕所之后，好玩的才真正开始！高科技传感器会启动冲水系统的开关，冲洗活动地板，同时活动地板会打开，让狗狗的便便掉进马桶里。

啪　嚓

注意事项

如果您的爱犬是大胃王，对于活动地板而言，可能会过重……像恶犬就有可能因此掉进马桶里。

让爱犬尽情享用的活动厕所

这个时髦的产品会让恶犬的"犬生"从黑白变成彩色！只要把爱犬活动厕所绑在狗身上，带狗狗上厕所就一点儿也不麻烦了！

啊，舒服多了！

好消息！这种爱犬活动厕所是用橡胶做的，只需简单冲洗一下，就可以重复使用！

马儿快跑

您是不是很想骑马，但是又怕从马背上摔下来？现在，您不用上马，也能"骑马"啦！只要手持这个遥控器，您就能从远程操控马匹了。

超级马鞍会自动拉紧缰绳，甚至在马儿不乖的时候，还会鞭打它！

哎哟！

猫咪抹布

再也不用做烦人的打扫工作了！只要把4只最新潮的猫袜穿在你家小猫脚上，就能轻轻松松看着它清扫灰尘。顺便把您价值连城的装饰品也扫到地上！

哎呀！

请小猫吃小鸟大餐

这种新型喂猫器能让猫咪的晚餐时间变有趣！

新房子！好酷！

小鸟会先被困在管子中，最后掉进笼子里。

只需要训练您的小猫打开笼子，抓出小鸟就行了。等它玩够了猫捉小鸟的游戏之后，刚好可以把小鸟一口吞下！保证野鸟绝对不敢上门！

好吃哦！

高抬贵狗

就算精力最充沛的狗儿，偶尔也需要打个盹儿。但是有了这个可爱的名牌狗狗行动屋，恶犬即使整天睡懒觉，您也可以带着它去拜访朋友。感谢美国发明家在1994年想出的这项贴心发明，您甚至可以带着狗狗参加宴会——只要不怕您的名牌衬衫不小心沾到狗尿就行……

赶着搭飞机吗

有了这个方便携带的狗儿行李箱，您就再也不用在登机柜台前和包着尿布的爱犬分开了。

炫酷的公鸡眼镜

有了这副新潮的塑料护目镜，您的公鸡就能安心地看清一切了，真是个值得"大鸣大放"的好消息！

注意事项

美国发明家安德烈·杰克森为了保护心爱的公鸡，避免它们的眼珠子被歇斯底里的母鸡啄出来（母鸡在极度紧张时会做出这种可怕的事儿），于1902年发明了这种眼镜。

我们稍后还会播出更多搞笑的发明，不过现在应该回到我们的发明时光之旅了……

很驴的时光旅行

欢迎参加"很驴的时光旅行"。当然喽！有谁会比两位疯狂发明家（加上他们的狗），更适合担任我们的导游呢？

超过 79 万年前 人类掌握了用火的方法，这项重要的发现使当时的人能够煎长毛象排来吃。后来，人们还学会用火烧制陶器，并进行金属加工，而这一切只不过是一个开端而已。没有人知道到底是谁最早开始使用火的……

用火的灵感来自明亮的火花！

公元前 5000 年 人们已经懂得用桨划动小船以及竹筏，埃及人在公元前 3000 年就会使用有帆的船。

公元前 3500 年 轮子让人类能够轻松搬运笨重的行李和人，后来人们又发现轮子可以使风车和其他机械的操作更轻松。不过同样没有人知道到底是谁最先想出这个精彩绝"轮"的好点子……

如果没有轮子，后果真是不堪设想！

公元前 287—公元前 212 年 天才阿基米德是希腊早期的发明家之一，他提出了杠杆及滑轮的构想。当罗马人攻击他居住的城市时，他设计了一些新奇的武器，例如"怪手"——利用巨大的杠杆和滑轮组成的起重机，可以把敌人的船推倒。但是这些不可思议的发明仍然无法阻挡罗马人的强大军队，当罗马人攻陷这座城市时，一名士兵刺死了这位伟大的发明家。

公元868年　中国人利用一块块雕刻好的木板印制书籍。到了北宋庆历年间（1041—1048），毕昇发明了胶泥活字印刷术，每个字使用后都可以拆开再重组，然后印制下一本书。

公元1044年　中国人发明了火药。这项爆炸性的突破导致后来发展出致命的破坏性武器，例如大炮、手榴弹及炸弹。不过，也因为这项发明，才有美丽的烟火。

15世纪50年代　德国人谷登堡（1390—1468）在欧洲发明了铅活字印刷术。有了铅活字印刷术之后，欧洲人才能买到比较便宜的书，有机会学习新的观念与知识。这本书能与各位见面，也要归功于铅活字印刷术，所以那一定是件好事……

公元1712年　英国发明家纽科门发明了早期的蒸汽机，早期的火车及轮船都是靠蒸汽机提供动力……

公元1783年　法国蒙特哥菲尔兄弟发明了第一个热气球，他们因为这项成功而意"气"风发。

19世纪30年代　一些干劲十足的科学家，例如英国的麦克·法拉第和美国的约瑟夫·亨利，开始研究电力机械。这些强而有力的电气产品后来推动了全世界……

19 世纪 80 年代　德国科学家发明的史上第一部汽车上路了……不过很快就坏掉了。

公元 1888 年　德国人赫兹（1857—1894）利用电学技术发现了无线电波。

公元 1903 年　美国莱特兄弟驾驶史上第一架飞机飞了起来，祝他们一路顺风（直到坠机为止）。

公元 1925 年　英国人贝尔德发明了电视，从此全世界都在忙着切换电视频道，父母和小孩之间不再有时间聊天。

公元 1930 年　美国人范内瓦·布什发明了早期的计算机，它可以进行加减运算，但还不能玩在线游戏。

公元 1945 年　原子弹的发明制造了极大的冲击……一点儿都不夸张，人类第一次拥有了摧毁自己的力量。

公元 *1969* 年　人类历史上第一次在月球上漫步，这全都要感谢在德国出生的美国发明家冯·布朗（1912—1977），因为他设计了史上最大型的火箭——农神五号。

公元 *1975* 年　芯片计算机诞生，它比之前所有的计算机都更小、更快、功能更强。在接下来的几年中，人们使用芯片制造出移动电话、DVD 播放器等产品，改变了全世界。

＊这些都是本书将要介绍的真实发明。

嗯，时光之旅来到现代……不过，等一下，我忘了提一项重要的发明。1842 年，曾经有位铁匠想出一个很棒的方法，让人可以利用两个轮子到处溜达，你猜得到我说的是什么吗？

危险的自行车

骑自行车是一件很棒的事，既健康又有趣。当你踩着车蹬前进时，可以呼吸大量的新鲜空气；如果运气好遇到倾盆大雨，还可以免费洗个头。这个不可思议的发明应归功于谁呢？

30秒自行车完全攻略

（所以你必须读快一点儿！）

1. 关于到底是谁发明了自行车，专家们的意见并不一致。有人说是苏格兰铁匠麦克米伦在 1839 年发明的……嗯，他确实发明过自行车，但不是我们熟悉的那一种……

2. 事实上，现代自行车是经过很多发明家的共同努力才完成的。

有些人设计重要的零件，有些人构想新的车型，例如有位叫詹姆士·史达雷的英国铁匠就曾经发明过一种看起来很愚蠢的自行车……

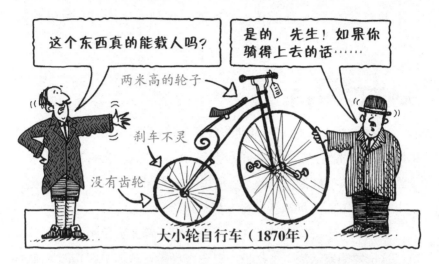

一般人很难骑上这辆疯狂的自行车，但是想从上面下来更加困难，除非你撞到障碍物，从车上摔下来。不过，还是有很多疯狂的骑士想要挑战它！他们先站到墙头上让自己能顺利坐上这辆车，然后把脚放在把手上，再从山坡上俯冲而下。幸好，史达雷的侄子约翰·史达雷想到了改良的方法，让希望长命百岁的人也能骑上自行车……

3. 现代的自行车（就是你每天骑的那种）很神奇，即使把两个大人放进拖车让它拉着，它也可以拉得动，而且人踩车蹬所产生的能量的98%都能转换成动能，这种效率比大多数机械都要高。

3种笨蛋自行车

1. "散骨车"是一种早期的自行车，由法国两位发明家皮耳与恩斯特在19世纪60年代共同发明。当人们骑这种自行车经过碎石子路时，骨头就好像被摇散了，所以英国人叫它"散骨车"。不过，至少它不像下面两种笨蛋自行车那么危险……

2. 1984年，有位英国发明家设计出一辆儿童使用的三轮割草机。这位发明家认为，小孩子一定会喜欢骑着这辆车在花园里横冲直撞，顺便帮忙割草……结果，这项发明却在草地上碾出乱七八糟的痕迹，把花园给毁了。

3. 1988年，一位美国发明家设计了一辆以帆为动力的自行车。这个点子不错，但是如果遇到逆风，车子就会被吹得往后退，一不小心还会被风吹向一辆行进中的大卡车，或者绕着交通警察打转。

在众多笨蛋自行车中，下面是最笨的一种……

笨蛋自行车使用手册（1889年）

感谢您购买欧列斯基维兹设计的新型高速自行车，本车的设计原理是利用骑车人上半身的力量提供额外的动力！

骑乘方法：

　　1. 先穿戴好可以从你上半身吸取能量的骑具，这项工作大约会花掉1个小时！

　　2. 把一根钢杆（水平杆）横在胸前，并确认装了弹簧的水平杆与车座底下的齿轮连接好了。

　　3. 以正常的方式踩车蹬。

　　4. 当车速够快时，身体会突然前后摇晃，钢杆会通过一组链条把身体的动能传递到车子上，使自行车走得更快。

　　5. 然后你会开始呕吐……

　　6. 摔下自行车……

　　7. 被送到医院……

　　8. 就这么简单！

　　当这辆自行车在伦敦举办试骑会时，上述情况都发生了。事实上，没有一名试骑员因为这辆自行车而骑得比平常快，倒是有两个人从自行车上摔了下来，还有好几个人都吐了。这可能是史上第一次有人骑自行车骑到晕车！

你肯定不知道！

在1900年的纽约，如果你偷了阿道夫·纽鲍尔的自行车，将会得到非常惨痛的教训。一旦你骑上这辆自行车，就会有一根尖钉从车座里穿出戳进你的屁股。哦，光想想就觉得好痛……

聪明自行车的零件

现代自行车有一个共同点……

不，我想说的是，这些自行车都包含了共同的零件，就像下面这辆自行车……

1. 刹车握把
2. 轮子
3. 齿轮
4. 弹簧
5. 螺旋

1. 刹车握把

功能：

刹车握把能够控制刹车，使轮子停止转动。刹车握把本身其实是一种杠杆，而杠杆是一种能够绕着固定支点转动的坚硬物体，杠杆的力臂越短，所需要的力就越大；所以如果刹车握把越短，刹车就会越吃力。

还有哪里可以找到杠杆：

剪刀、胡桃钳、独轮推车、跷跷板、镊子，以及其他许多发明……啊，别看，好恶心！

拔

2. 轮　子

功能：

轮子会转动……你早就知道了？嗯，可是你一定不知道轮子是由许多杠杆（这里指的是辐条）所组成的吧？

辐条＝杠杆

嘎吱！

哦！我的轮子呢？

轮子的形状使它在任何时候都只会以一小部分与地面接触，以此减少摩擦力——摩擦力会使自行车慢下来。

还有哪里可以找到轮子：

任何有轮子的交通工具。打赌你一定不知道，爱迪生曾经发明了一种可以声控的轮子——利用声音使一片称为振动板的金属薄膜来回振动，借此将声音能量传给轮子。每个爱说话的老师都很适合购买这项发明哦！

3. 齿 轮

功能：

齿轮有大有小，利用不同齿轮彼此啮合以传递能量。

齿 轮 ← ← 摇晃的牙齿

完美的齿 →

还有哪里可以找到齿轮：

凡是需要推动转轮的机器都有齿轮，比如汽车、钟表、拔塞器及开罐器等。不过，现代开罐器直到1920年才发明出来，比食品罐头的出现晚了100年以上。在开罐器发明之前，人们必须用铁锤才能打开罐头，而在美国南北战争期间，士兵甚至会开枪来打开罐头。

想吃桃子吗？

啊！

真是"射"香味俱全呀！

4. 弹 簧

功能：

弹簧能吸收能量，减少物体的振动程度。当诺拉踩车蹬时，座垫下的弹簧能吸收她的屁股向下压的力量。

还有哪里可以找到弹簧：

订书机、烤面包机、弹簧床垫、捕鼠器及安乐椅上都有弹簧，机械钟表里的弹簧还可以储存能量。（千万别在老师的安乐椅上放

捕鼠器，否则一旦他们情绪反"弹"，你就会"簧"恐不安啦。）不过有些关于弹簧的发明实在很愚蠢……

在英国维多利亚时代，有位发明家利用强力弹簧制造了一种灭鼠器，可以把老鼠弹出去……粘在天花板上，这实在是"鼠"一"鼠"二的笨主意。

1994 年，美国人发明了一种可以自动掀开假发的机器，就像这样……

> 吼，这本书的内容越来越愚蠢了！

> 咚

> 嘻！

只要按下按钮，假发就会在你的头顶上下跳动，保证能让你被朋友取笑很长的时间！

5. 螺　旋

功能：

螺旋可把物体旋紧，或是固定物体的位置。

还有哪里可以找到螺旋：

螺旋可以出现在螺丝钉、螺帽、螺栓及瓶盖。它们"应该"可以让你"较不费力地"打开瓶子。

Z 教授
（脑袋里的螺旋松了）

这是螺旋面，不是螺帽

真可悲！

下面，我将介绍几种极度邪恶的机器，分别由轮子、杠杆和螺旋组成！

Z教授呕心沥血
五大邪恶发明

我对以上那些善良的发明感到很厌烦，请继续阅读下去，保证你会有一段很痛苦的经历。嘿嘿！

第5名　吓人扫滩车（1944年）

邪恶评价：善有善报，恶有恶报。

我喜欢在假日的海滩上测试这个利用火箭驱动的大轮子，把其他游客吓跑，让整个海滩变成我一个人的。

爸爸，我可以吃冰激凌吗？

这部扫滩车原本是为了攻击敌人的海滩而设计的。但在试转的过程中，这个古怪的大轮子却突然改变方向，去追赶发明它的科学家。

第4名 累死人踏车（1817年）

邪恶评价：圆滚滚的发明！

人生中最快乐的事，就是看着仇人像只仓鼠一样在这台大型转轮上受苦受难——一边爬着阶梯，一边带动轮子转动。这项发明诞生于英国维多利亚时代，原本是惩罚罪犯的刑具，发明者威廉·丘比特还

用力踩！

在轮子上加了一个刹车，让轮子更难转动，使轮子上的罪犯累得像在爬山，而且彼此之间还不准交谈。不过，至少他们的身材可以保持苗条。嘿嘿！

第3名 便携拇指夹（17世纪）

邪恶评价：你必须把手交给它们……

对于随时随地想要虐待别人的坏蛋来说，这项发明非常方便携带。夹子上的螺旋可以压碎受刑人的指甲……不过如果和德国版的头颅夹比起来，还不算太可怕啦！

好啦！我对他们的创意竖起大拇指！

嘎吱

第2名 伸展肢刑架（16世纪）

邪恶评价：伸展手脚的好机会。

这种刑具曾经在欧洲各地被普遍使用，我喜欢看仇人在

上面做伸展操……我想犯人为了不受这种酷刑，一定会尽力伸展拳脚，逃之夭夭！

利用杠杆绞紧绳子，把受刑人的身体拉长，直到骨头由关节处被扯开

拉　长

你将接受长时间的伸展运动！

第1名　断头台（自16世纪以来）

邪恶评价：当机立断。

犯人趴着的带铰链的木板其实是一个杠杆，可以牢牢固定犯人的头部

嘿！有人忘了清洗刀刃上的血迹

你已经无法回"头"了！

我可以选择吗？

精美的木工

关于断头台的四大恐怖事实

1. 法国医生吉约坦并不是断头台的发明者，他只是曾经向当时法国的国民大会建议：使用这种机器处决犯人比较人道。据说，当时听到的人都笑了。不过在法国大革命期间，因为政府必须在短时间内砍掉很多人的头，所以经常使用断头台。在 10 年之内，这种机器就结束了多达 15 000 人的性命。

2. 法国断头台的第一个受刑者是拦路强盗尼古拉斯·佩尔特。那次行刑的刽子手查尔斯·圣尚非常敬业，事先用动物及死人练习了好几次。你应该很高兴听到，在行刑的过程中，断头台上犯人的头颅大多数都能保持完整，只有佩尔特例外……他的头被切碎了。据说吉约坦医生曾经很开心地说：

受刑者根本不会感受到任何痛苦，顶多是脖子感到一阵凉意。

没有受刑者反驳过吉约坦医生的这一说法。

那是因为在受刑者的人头落地之后，一切就都结束了……这算"风凉"话吗？

3. 在吉约坦医生提出这项建议之前，意大利、英国及爱尔兰就已经存在类似的机器。在英国的哈利法克斯，常常由群众一起放下断头台的刀子，这样每个人都能享受当刽子手的乐趣。有时，如果要处决偷羊贼，还会由羊负责放下刀子……

4. 1564 年，英国莫顿伯爵把断头台带到了苏格兰。但是当他失势后，他竟被自己推荐的杀人机器砍了头。

我们最好还是换个话题，去认识一种热到冒烟，随时都有可能像火山一样喷发的东西。

你最好继续阅读并找出真相！

摇摇晃晃的蒸汽火车

以今天的眼光来看，蒸汽火车可能有点儿土气，但是在过去，它可是最顶尖的科技产物，而且充满朝"气"，"铁"定不出轨……

刁难老师

请用最温柔的方式轻敲教师办公室的门，然后说：

请问是谁发明了铁轨呢？

a）石器时代的人

b）古希腊人

c）中世纪时期的欧洲人

d）英国维多利亚时代的人

呜，呃，嗯，我，呃……

答案

b）和c），老师必须完全答对，才算通过。古希腊人曾利用铁轨运送船只，以横越科林斯地峡（希腊岛的某块狭长陆地）。全欧洲的矿井老板都曾利用铁轨运送从矿井中挖出的重物，铁轨上的车子则是靠矮种马或人力拉动的。

除了铁轨，成功的铁路系统还需要另一项发明：可以拉动车厢

的发动机。很多发明家都曾研发过发动机,而第一个成功者是个强悍的狠角色。事实上,他强悍到可以把老师抓起来倒栽葱。他的名字叫理查德·特里维西克(1771—1833),下面的戏剧将上演他精彩的一生……

无厘头的理查德

场景一

　　(1801年在英国康沃尔郡的一间酒吧里,理查德·特里维西克正和老板谈话。)

旁白:理查德·特里维西克是康沃尔郡最强壮的男人,他以扔掷大锤,或是把成年男子倒吊起来为乐。同时,他还是一位聪明的发明家……

老板:听说你发明了蒸汽动力车,这是真的吗?

酩酊大醉状

特里维西克(以下简称特):

　　是的,嘻嘻……而且我没有熄火就把它停在马路边了。

老板:这样妥当吗?

特:当然妥当……吧?(突然一阵爆炸声!)

特:呃……只要别让锅炉烧干就没事!

场景二

　　(1804年在英国威尔士的潘尼达伦钢铁制造工厂里。)

第一幕:

　　(塞缪尔·荷姆富来、安东尼·希尔和理查德·特里维西克一起走进来。)

希尔（以下简称希）：我打赌你不可能用铁路运送煤炭和人！

荷姆富来（以下简称荷）：我打赌我可以！只要给我特里维西克发明的蒸汽火车头就行。

特：这个任务对我的发明来说，实在太简单了！

第二幕：当天稍晚

荷：我赢了！

希：是我赢了才对！火车头最后把铁轨都压断了，不得不驶回普通的道路上。

特：呃，至少这是史上首次火车载客之旅！

荷：哼！我可不会到处吹嘘这件事！

场景三

（1827年南美洲哥伦比亚的一家旅馆里。）

（罗伯·斯蒂芬孙和理查德·特里维西克一起走进来。）

斯蒂芬孙（以下简称斯）：非常高兴遇见你，特里维西克先生！这几年您都在忙些什么呢？

特：我的一生真是一败涂地！不但从学校退学，我的蒸汽车还炸掉了，蒸汽火车头也没人要。我来南美挖矿，但是又失败了。当时我都快饿死了，不得不吃猴子，而且差一点儿被淹死，又差点儿被鳄鱼吃掉，现在简直不名一文……

对自己感觉沮丧

斯：振作起来，特里维西克先生！自从你离开之后，铁路在英国

逐渐普及。我父亲乔治·斯蒂芬孙利用一根鼓风管改良了你设计的火车头，从而提高了炉子的温度，所以煤炭在里面可以充分燃烧，现在他可是名利双收呢。这不是好消息吗？

特：吼！你爸爸偷了我的点子，你还要我振作起来！

斯：我会帮你付回国的费用……

特：哦，好吧！

（斯蒂芬孙与特里维西克手挽着手，一起走出去。）

理查德·
特里维西克
在此安息
1771年　出生
1833年　去世

旁白：几年后，特里维西克不名一文地去世了。

（幕落下，观众嘘声四起，朝舞台上扔掷烂西红柿。）

你肯定不知道！

火车工程师是利用钻孔机把坚固的汽缸改造为锅炉的，而发明这种钻孔机的人则是钢铁狂人威尔金森。1775年，他灵机一动想到这个点子。威尔金森对钢铁十分狂热，甚至埋葬在钢铁制成的棺材里，连墓碑也是用钢铁打造的。顺便说一句，他发明的机器一点儿也不刁"钻"，甚至非常有趣。

Z教授真"蒸"气

让我们请 Z 教授来解释一下蒸汽火车的运作原理。

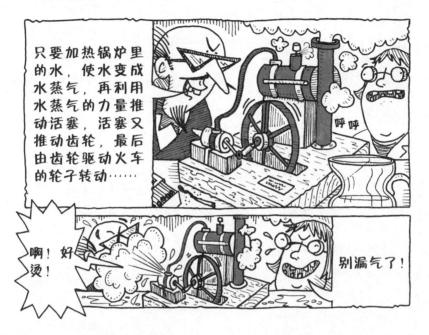

只要加热锅炉里的水，使水变成水蒸气，再利用水蒸气的力量推动活塞，活塞又推动齿轮，最后由齿轮驱动火车的轮子转动……

呼呼

啊！好烫！

别漏气了！

车祸不断的火车旅行

在火车出现的早期，如果你想坐火车旅行，最好的建议是：别坐！早期的火车实在是超级危险，闹出人命只是迟早的事儿……第一次致命车祸发生在 1830 年，有位名叫法兰西丝·康宝的英国小女孩正好坐在这列火车上，如果请她来讲讲那起可怕的意外，她也许会这样说……

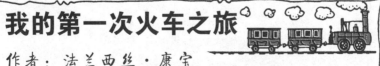

我的第一次火车之旅

作者：法兰西丝·康宝

我永远也忘不了第一次火车之旅。就在上星期三，利物浦和曼彻斯特之间的铁路通车了，妈妈和我幸运地买到了车票。

呜

当我和一群兴奋的乘客挤进新的利物浦火车站时，激动得差点儿心跳停止。我目瞪口呆地看着庞大、闪亮、发出呼呼声的黑色火车，它们制作精良，看起来根本不像人类所打造的。其中有一列火车，在喷出蒸汽的同时，还发出激昂的汽笛声，吓得我差点儿尖叫。

突然，一声巨大的炮声震撼了整个车站，这是火车即将启程的信号，于是人们全都爬进客车厢以及没有顶的货车厢……还有人坐在运煤车的顶上。我和妈妈被挤散了，独自一人坐在一个男人旁边，他说刚才鸣炮时，炮弹打中了一个男人，害得那个男人的眼球掉了出来，我听了之后吓得直发抖。

火车启动后，我紧紧抓住座椅，火车开得越快，我就抓得越紧。我很快就忘记了那个可怜的男人和他的眼球，忙着向站在铁路两旁的观众挥手，还向一些骑着马或坐在马车上的人挥手，他们正努力想赶上我们，但最后还是被甩得远远的，我觉得自己就像一个公主。我喜欢看着街道和田野飞快地往后退去，也喜欢火车发动机发出的巨大的轰隆声，以及臭臭的煤烟味。

最后火车停了下来，准备为发动机加水。一名铁路公司的职员大声提醒大家必须留在车厢里面，但是没有人理他。很多人打开车门，跳下铁轨。我也想让双脚伸展一下，同时寻找我妈妈，问问她对这趟旅程的感想。但是当我终于找到她时，她的脸像石灰一样白，还用手帕捂着嘴，好像快吐出来的样子。

"妈妈，你怎么啦？"我大叫。

"那个火车头……我被它吓坏了！"她呻吟着。

"但是，妈妈，"我抓住她的手臂说，"真刺激！"

妈妈带我走到她搭乘的火车厢，并请本来坐在她旁边的男人和我换位置，这样我们就能坐在一起了。我们刚坐下，其他人就开始往火车厢里爬。然后，我听到第二列火车接近时发出的如雷声响，伴随着尖锐的声响，巨大的黑色火车头一闪即逝，接着就听到很多人在大喊大叫。后来我才知道，有些人还没来得及回到火车上，而且很快地，乘客之间就议论纷纷：有人被另一列火车撞了！

妈妈的朋友威尔顿夫人目睹了整个过程，所以当我们在终点曼彻斯特站遇见她时，她的脸色就和身上的衣服一样铁青。

"出事的人是哈斯金森先生！"可怜的威尔顿夫人啜泣着说，"他是个跛子，没有人帮忙就无法爬上火车厢；当火车撞到他时，他正吊在车门外。最后他摔了下去，火车就从他腿上碾过去……到现在我仿佛还能听见骨头碎裂的声音，以及可怜的哈斯金森先生发出的痛苦呻吟，然后他就昏过去了。真令人恐惧，我觉得很不舒服。"

妈妈很害怕，开始发抖，而威尔顿爵士看起来也好不了多少。

"别说了，亲爱的，别再自己吓自己了。"他安慰自己的太太说，"事情已经过去了，虽然刚才我吓得一直躲在火车厢里，但至少现在安全了。"

奇怪的是，她的丈夫惊险逃过一劫并未让威尔顿夫人高兴起来，反而哭得更凶了，而且好像即将陷入歇斯底里的状态。

"爵士大人，哈斯金森先生现在在哪里？"我礼貌地问。

"他被送往附近一个小村庄，我们这列火车的司机是铁路工程师乔治·斯蒂芬孙先生。意外发生后，他很果断地解开火车头的挂钩，用火车头载着哈斯金森先生全速前进，不过，我担心他可能活不了多久。"

乔治·斯蒂芬孙

"我再也不坐火车旅行了，真的很不舒服，车厢又脏、又臭、又吵，而且还很危险！"妈妈痛苦地说。

"我也是，亲爱的。"威尔顿夫人一边闻着四周的空气，一边发抖地说。

真可惜！因为我还想要再搭一次！但是我没有勇气说出自己的意见。除了那场意外和那个人的眼球之外，今天算是很开心的一天，我等不及要再坐一次火车。

"祸" 车

那位重要的政治人物威廉·哈斯金森最后因伤势严重过世，读到这样的结局你一定很遗憾。但他只不过是众多火车事故受难者中的第一位。下面将向大家说明为什么早期的火车这么危险……

因为当时的铁路没有信号灯，无法防止火车在同一段轨道内相遇而互撞。当时在英国，火车的车顶必须建造一间小屋子，里面坐着一位警卫，随时准备在紧急情况下把火车停下来（当时的刹车方

法是用木块卡住轮子使火车停下来）。当然啦，他一定总是满脸煤烟。而在美国的火车上，刹车员必须在车顶上跑来跑去操作刹车，所以当火车驶进隧道时……有些刹车员的头一不小心就被撞断了。

英国警卫

美国刹车员

早期火车头的锅炉经常发生爆炸。美国的第一部火车头叫"查尔斯顿好友号"。有一次，因为负责给锅炉点火的人坐在锅炉的蒸汽阀上吃午餐（那里应该保持畅通才对），没多久，就发生了很剧烈的爆炸，最后现场只留下几块金属碎片和几片破碎的身体……哼，有这样的"好友"，谁还需要敌人？

不过，只要是有麻烦的地方，就会有一堆发明家努力想要解决问题。下面就有一个明智的点子，可以有效地解决问题；另外一个点子，则像为狗写一本餐桌礼仪的书一样愚蠢……

明智的发明

超棒的刹车

有了乔治·威斯汀豪斯新发明的气压刹车，坐火车旅行就更安全了！只要在一根管子中充入压缩的空气，就可以控制刹车，使火车停下来！

这个家伙真爱生"气"！

笨牛走开！快启动气压刹车！

吱吱吱

1869 年，美国发明家乔治·威斯汀豪斯（1846—1914）想让铁路公司老板支持他发明的刹车系统。在铁道上测试时，恰巧有个人在火车前跌倒，乔治的刹车及时把火车停住，救了那个人一命。于是，吓得发抖的企业家决定立刻买下他的刹车系统。

愚蠢的发明

担心火车出意外吗

何不跳上跳蛙式火车？

这种火车的车头前有块斜板，车顶安装了铁轨；如果两列火车迎面相撞，一列火车可以爬上另一列火车的车顶，然后继续前进。它比游乐园的设施还好玩！

哇！

哇！

1905 年，美国人斯特恩想出了上面这项愚蠢的发明，而且为了证明它有用，还开着它去集市充当游园车……它真的有用，但是太可怕了，没有人敢坐第二次。而且如果两列火车的速度不一样，还是会撞毁在铁道上。

当然，蒸汽机除了能拉动火车车厢之外，还可以用在其他机器上，例如驱动织布机……在英国维多利亚时代，数以千计的儿童被迫在这种机器前面长时间工作。1893 年，英国发明家乔治·摩尔甚至制造了一部蒸汽动力机器人。这个金属制成的怪物，走路的速度是人类的 3 倍，还会冒出蒸汽，你想不想设计出一位以蒸汽驱动的机械老师呢？嗯……最好不要，你的机械老师可能会整天吹胡子瞪眼睛，就像真的老师一样。第一艘蒸汽动力船则诞生于 1776 年，是由英国达班侯爵建造的。他把船桨设计成鸭脚的形状，但很不幸的是，事后证明那是一只"死鸭子"……因为它根本不会动，据推测可能是发动机的动力不够。后来，侯爵修改了设计，制造出另一艘蒸汽动力船，却仍不幸地变成一堆碎片。可怜的侯爵花光了所有的钱，最后变得跟他的船一样悲惨。

不过，侯爵的点子其实很棒！1807 年，美国发明家罗伯特·富尔顿制造出第一艘载客用的蒸汽动力船。稍后，还出现了许多以蒸汽驱动的大型舰艇。

现在，我们要休息一下，欣赏更多的搞怪广告。别走开哦！因为广告之后，我们将介绍更多古怪的船，以及为什么科学家要训练海鸥在潜水艇上大便……

扑通

可恶……呃……
我是说：海鸥！

搞怪广告时间（二）

许多疯狂的发明家不断提出好玩、时髦又"健康"的发明，下面就来瞧瞧一些从未成功的例子……

塑料极限运动装

你一定要试试这套塑料运动装！

▶ 特制的绳索，让你的每个动作都格外费力。

▶ 穿上它，就像被五花大绑了一样！

▶ 有很多可爱的颜色可以选择！

鸣 鸣

注意事项

1. 试穿过的学生全都热得差点儿昏倒。
2. 穿上它，会让你看起来像个巨婴！
3. 如果你多付些钱，我可以帮你脱掉！

好猎人鸭子装

穿上好猎人鸭子装，把自己装扮成一只大鸭子，就可以轻轻松松地猎鸭子了！因为真正的鸭子会笑得在地上打滚，你可以不费吹灰之力就抓住它们！

鸭子？骗谁呀！

注 意

要先确定附近没有近视的猎人，否则他们会把你当成真正的鸭子而向你开枪的！

我们有很多产品可以让你尽情享受轮上乐趣。

踩轮趣

把自己绑在一组轮子上，然后从陡坡狂飙而下！

天才插画家托尼来也！*

蝙蝠侠大变身

你觉得自己已经很酷了吗？请穿上我们的蝙蝠斗篷和溜冰鞋，然后拍拍翅膀，大步向前滑行，不需要理会别人的嘲笑声！

机不可"湿"……

观赛用夹链袋

看什么看？

何必让几滴雨水破坏观赛的兴致呢？快把自己包在大型的夹链袋里，就可以舒舒服服地观赏比赛，而且保证你的位置会非常宽敞，因为没有人想坐在你旁边！

拍拍

嘻 嘻

*本书的插画家。

不想被淋成落汤鸡？
雨天逛街时想要保持干
爽，请使用……

个人行动式浴帘

狗狗也别淋湿了！
请为心爱的狗狗购买
一把最棒的……

狗狗全罩式雨伞

充气式浴帽

别忘了穿衣服

一定要有呼吸孔

耳朵大不同

觉得自己的耳朵不够吸引人吗？有了下面这些有趣的
新发明，你的耳朵从此将成为众人的焦点。

面红耳"翅"

有了这一对神奇的耳翅，再也没有
人会笑话你的耳朵长得丑……因为他们
都在忙着嘲笑你戴在耳朵上的翅膀！

怪胎！

大耳朵加油

真唠叨!

我听到了!

科学家说大耳朵听得比较清楚,那么何不装上一对大耳朵呢?尤其对凶巴巴的老奶奶来说,这项发明一定非常实用,对于想要变成兔子的人也很有帮助。

你可以摆动耳朵,接收来自不同方向的声音

求之不得的帽子

嗯,不过你可能会觉得糗毙了!

盲点现形帽

使用指南:

1. 先闭上你的左眼,让右眼聚焦在一个吊在你眼前的物体上。

2. 接下来闭上右眼,再睁开左眼,你会发现物体不见了,因为物体的影像聚焦在盲点上,所以你看不到。盲点是眼球里视神经(从眼球传递影像信号到大脑的神经)的汇集处,那里没有可以感应光线的细胞。

需要非常专心

如果你在上自然课的时候戴上这顶帽子,对着老师一边傻笑,一边眨眼睛,我想她一定会很高兴!

尖头大浴帽

想在淋浴时让"蓬蓬头"保持干爽的女士有福了！向您推荐这顶完美的尖头浴帽！这顶浴帽也很适合外星人、独角兽、大乌贼，以及任何具有可笑尖头的生物。

走开！

傻里傻气的沙鼠衬衫

让你的衬衫变成宠物的游乐场，保证能让死气沉沉的自然课立刻变得生动有趣！

▶ 沙鼠会很喜欢在衬衫里的管子之间钻来钻去，记得要留气孔让它们呼吸。

▶ 和你的朋友玩"沙鼠在哪里"的游戏。

▶ 为了增加趣味，何不把你的宠物蟒蛇也放进管子里？然后欣赏它追着沙鼠跑的模样！

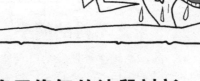

我*开始后悔写了这一段……

＊本书的作者。

神秘的潜水艇

如果能发明自己的潜水艇，不是很酷吗？你可以带着家人来一趟海底旅行，还可以和鲨鱼做朋友。如果你是个邪恶的科学家，还可以抓着仇人潜入海底，然后拿他们去喂鲨鱼。不过对于发明家而言，潜水艇的确有黑暗的一面。如果你的潜水艇无法正常运行，你会发现自己被困在海底，无路可逃，而且氧气逐渐被耗尽……

现代的潜水艇只是可能发生意外，而早期的潜水艇根本就是死神设下的残酷陷阱。下面有个商人正在推销一艘二手潜水艇，这个人可以把每一辆破车都吹嘘成"经典老爷车"，他就是咱们非常不老实的朋友——包老实……

包老实之
二手潜水艇店
（现金交易，废话少说）

10英镑

11英镑

500英镑

搭乘潜水艇在海底闲逛最棒了，不必担心交通堵塞，还可以免费停"艇"。嗯，有些潜水艇还会"永远"停在海底……糟糕，不小心说漏嘴了……

请翻到下一页

德雷贝尔潜水艇

发明者：德雷贝尔

（英国，1620年）

价格：259 875.5英镑

以桨产生动力

哦!

水会通过小孔，进入猪的膀胱，使潜水艇往下沉

不透水的外壳……嗯，还算防水

好啦，我承认它有点儿漏水，不过你可以假装是在船上淋浴呀!

注意事项

这艘潜水艇曾经在泰晤士河底航行，但是没有人知道里面的船员是怎么呼吸的。

水底龟

发明者：戴维特·布什内尔

（美国，1775年）

价格：20便士外加200万英镑的保险，以及免费的海葬。

用手转动钻头和螺旋桨

透视图

火药桶

保证平安"龟"来!

注意事项

1776年，美英交战，一位美国军人想用潜水艇击沉英国军舰。不幸的是，潜水艇的钻头无法钻透英国军舰的舰壳，而火药桶又不小心漂走了。

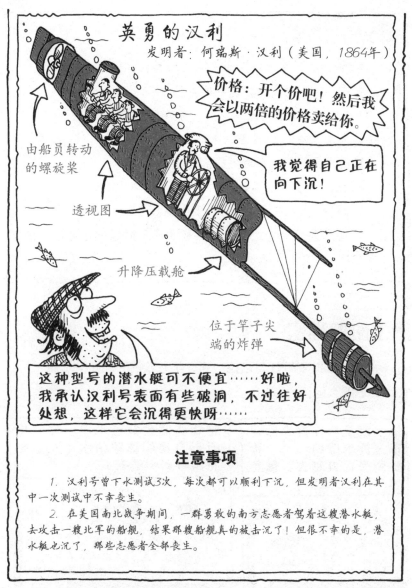

在英国维多利亚时代，有很多发明家开始研发潜水艇。现代潜水艇是由约翰·霍兰（1841—1914）设计的船舰演变而来的。霍兰出生于爱尔兰，曾经当过老师。后来，他对自己的发明具有如此强大的破坏力感到非常不安，但一切都太迟了……在第一次和第二次世界大战期间，潜水艇击沉了数百艘船只，夺走了数千条人命。

你肯定不知道！

在第一次世界大战期间，英国科学家非常渴望击败德国的潜水艇，于是想出许多诡异的点子……

A计划：派小船在港口巡逻，每艘小船都载有几个蛙人，这些蛙人会试图用袋子盖住德国潜水艇的潜望镜，这样潜水艇内的德军就看不见海面上的情况了。

B计划：如果A计划失败，就拿铁锤敲碎潜望镜的玻璃。

C计划：训练海鸥在潜望镜上大便。

这些愚蠢的计划就像要玩具熊和真正的熊一起野餐一样合情合理。哈哈！

潜水艇的秘密

我们决定和Z教授与诺拉一起，登上教授的疯狂潜水艇，了解它到底是怎么运行的……

潜水艇是根据浮力原理而上浮下沉的，一个物体所受浮力越大，就越容易向上浮起……

把物体完全放进水中，它会排开与自己同体积的水（意思是把水推到一边去）……

如果潜水艇的压载舱中充满空气，它就会比相同体积的水还轻，使得潜水艇所受浮力大于重力，从而上升……

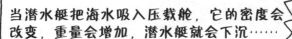

当潜水艇把海水吸入压载舱，它的密度会改变，重量会增加，潜水艇就会下沉……

你忘关舱门了！

压载舱

可是教授……

沉船与救命的灯塔

在发明家发明潜水艇之前，船只就常常有自动下沉的不良记录……原因可能是遇上了暴风雨，也可能是因为触礁而沉没。人们因此发明了灯塔，让船只在暴风雨以及黑夜中仍能分辨方向。自古以来，海上就有灯塔，它们一定是人们在灵"光"一闪时所想到的聪明点子……（真是够了，别再说这类难"灯"大雅之堂的冷笑话了——编者按）以下可能是一家报社对英国一座著名灯塔所做的报道……

普利茅斯新闻报

温斯坦利是个疯子

—1696—

大家都知道，英国普利茅斯港外的埃迪斯通岩礁，对在附近航行的船只构成了很大的威胁，至今已经夺走数百条人命，但是发明家亨利·温斯坦利却想在上面建造一座灯塔。埃迪斯通岩礁距离陆地大约22千米远，光是划船到那里就要10个小时，而且那里不断受到海浪冲刷，疯狂的温斯坦利根本不可能成功！

埃迪斯通岩礁

普利茅斯新闻报

1698～

温斯坦利是人民英雄

普利茅斯市市民都在歌颂亨利·温斯坦利的英雄事迹：他冒着生命危险在埃迪斯通岩礁上建造了一座灯塔，让附近航行的船只终于能够在黑夜中看到这块岩礁了。

今天晚上，酒吧里挤满了快乐的水手，尽情地欢呼，祝福这位不可思议的发明家身体健康！

虽然有些悲观的人认为这座灯塔撑不过下一场暴风雨，但是温斯坦利说，在强烈暴风雨来袭期间，他会在灯塔里守夜。本报认为，到时候那些唱衰的人应该就无话可说了！

普利茅斯新闻报

1703～

温斯坦利落海失踪

温斯坦利在前往埃迪斯通岩礁进行灯塔的修复工作时不幸罹难。昨天晚上，强烈暴风雨来袭，几百艘船只失踪，估计多达8 000名水手溺毙。今天所有人都在关心埃迪斯通灯塔的情况，但是它已经消失了。温斯坦利所建造的美丽灯塔，如今只剩下几片尖锐的金属碎片，而

他和全部的工作人员已经确定罹难……这些人是为了海上航行安全而牺牲了生命，我们将永远怀念他们！

后来，约翰·斯米顿又在原地建造了一座新的灯塔，直到今天，它仍然矗立在埃迪斯通岩礁上。读到这里，你一定高兴得手舞足蹈。不过，即使有全世界最好的灯塔，有些船还是不应该被发明出来……

笨船大竞赛

防晕船（1875年）

当整艘船随波浪上下起伏时，船舱仍然能保持平稳

大浪来袭！

第4名

没问题

透视图

评委评语：

亨利·贝塞麦因发明新的炼钢法而闻名于世，但是他所发明的船只却很糟糕：船舵很难操控，甚至因此撞毁了加莱港的码头……两次。

大船球（1973年）

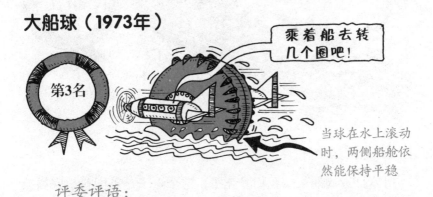

乘着船去转几个圈吧！

第3名

当球在水上滚动时，两侧船舱依然能保持平稳

评委评语：

这艘船的发明者想必在这个设计中摸爬"滚打"了很多年……但是这种船根本无法控制自己的方向！还好，它从来没被真正建造出来！

不可思议的圆船（1873年）

第2名

快！绕着这艘船的圆周跑步！

两枚10 000千克的大炮

12组螺旋桨

评委评语：

俄罗斯海军上将波波夫曾经建造过这种船。它可以前进、后退，甚至原地打转（保证能让你晕船），但是最大的问题是难以有效控制方向。

冰制航空母舰（1944年）

"冷"战时最好用！

800米长的航空母舰

第1名

用冰块和木屑混合物建造的船

评委评语：

用冰打造的船……我们爱死了！这个点子是英国科学家杰弗里·帕克想出来的，而且有人在加拿大建造出了一艘小型的测试船。

杰弗里除了设计出不可思议的冰山船之外，他的人生也很不可

思议。第一次世界大战期间，英勇的杰弗里决定潜入德国，挖掘战争的内幕，结果被德军当成间谍逮捕，还差点儿被枪毙。但是杰弗里说：监狱并不比他读过的寄宿学校可怕，所以战争结束后，他决定创办一所好学校。

新校规

校长杰弗里·帕克

1. 不准处罚学生，连骂也不行！
2. 学生不一定要来上课。
3. 学生想学什么就学什么。

太酷了！

所有的孩子都喜欢这所学校，但是基于某些让人扫兴的原因，家长们很不喜欢，最后这所学校就倒闭了。不过，这只不过是天才杰弗里数不清的聪明点子之一……

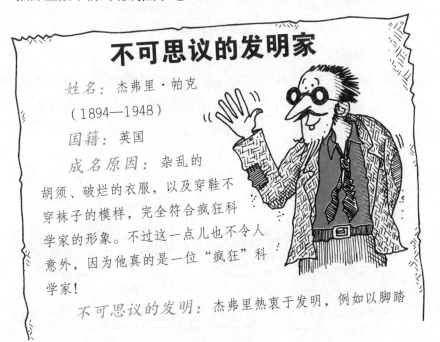

不可思议的发明家

姓名：杰弗里·帕克

（1894—1948）

国籍：英国

成名原因：杂乱的胡须、破烂的衣服，以及穿鞋不穿袜子的模样，完全符合疯狂科学家的形象。不过这一点儿也不令人意外，因为他真的是一位"疯狂"科学家！

不可思议的发明：杰弗里热衷于发明，例如以脚踏

板产生动力的火车。在第二次世界大战期间，为了帮助英国获胜，他发明了许多更疯狂的新玩意儿，例如冰制航空母舰。

可怕的细节：他发明的动力雪橇被巧妙地伪装成了马桶。此外，他还提出了用管道运送补给品和士兵的点子。

漏网新闻：战争结束后，政府完全不再理会杰弗里的怪点子。事实上，他还遭到了众人嘲笑。

悲惨的结局：最后，这位科学家既忧郁又寂寞，于是刮掉自己的胡须，吞下一整瓶安眠药，结束了不可思议的一生。

如何建造巨型冰制航空母舰

巨型冰制航空母舰乍听起来好像很愚蠢，其实一点儿也不。如果你在水中添加一些碎木屑，然后让水凝固成冰，这种冰块会出奇的坚硬，而且更不容易融化。而杰弗里发明的冰制航空母舰，体积巨大，几乎不可能沉没，上面还装配了能发射"过冷水"（温度低于0℃的液态水）的大炮，可以瞬间将敌人的军舰凝固成冰。

当时的英国军事参谋路易斯·蒙巴顿支持杰弗里的想法，而且为了证明这种冰块不会融化，他还把它丢进了时任首相丘吉尔的浴缸里。

为了证明这种冰块有多么坚硬，疯癫的蒙巴顿在最高军事会议上对着这种冰块开枪，结果子弹被反弹回来，差点儿误杀了一名海军上将。可惜的是，虽然当时曾经建造了小型的测试船，但是直到战争结束之前，始终没有足够的时间和金钱建造一艘巨型的航空母舰。最后，这个计划就遭到"冷冻"了。

谈到航空母舰，接着要介绍一些很棒的空中交通工具……

作者的紧急声明

我可以介绍很多种奇特的飞机、它们的发明经过以及飞行原理，但是我不打算这么做，因为：

1. 我可能想再写一本书，专门介绍各种古怪的飞行器和飞行原理。

2. 其实我已经写好那本书了。所以现在我只会带你们去一座超破烂的飞机博物馆，稍微参观一下……

超破烂飞机博物馆

① 这种飞机重达2 500千克，飞行时要拼命振动翅膀。

② 莱特兄弟设计出了真正可以飞行的"飞行者"1号飞机。

③ 这架八边形的飞行器跟波波夫建造的军舰一样，也是垃圾！

1. 约瑟夫·考夫曼的蒸汽飞机（1869年）。没有任何一架蒸汽飞机曾经成功飞行过，因为它们实在太重了。这架模仿大黄蜂的蒸汽飞机，本来要靠振动翅膀飞上天，结果它的翅膀只有从天空摔下时才会稍微振动……

2. 莱特兄弟设计的"飞行者"1号（1903年）。这是一架以燃烧石油提供动力的飞机，是史上第一架成功飞行的飞机，但不幸的是，它也是史上第一架从空中坠毁的飞机……而且因为"飞行者"1号没有刹车也没有安全带，1908年坠毁时还害死了一名乘客。

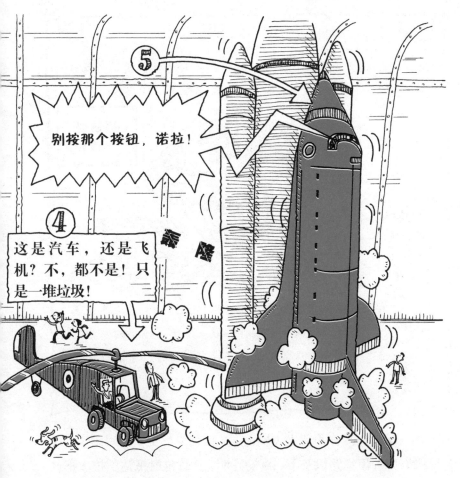

3. 钱斯·沃特的雨伞飞机（1911 年）。这架愚蠢的飞机根本不曾飞行过，但是至少在下雨时，你可以在它下面躲雨。

4. 飞行吉普车（1942 年）。在第二次世界大战期间，英国科学家发明了一辆吉普车，车顶安装了直升机的旋翼。这辆吉普车试飞时就差点儿要了飞行员的小命，所以它"飞快"地被抛弃了。

5. 美国太空总署的航天飞机（1981 年）。它是有史以来最复杂的飞行器：发射时像火箭，可在太空中飞行；但降落时又像飞机。大多数航天飞机所执行的飞行任务都很成功，但在 1986 年和 2003 年各有一架航天飞机发生爆炸，上面的航天员全部罹难。

1997年，有位美国发明家设计出一种古怪的机器，可以兼具潜水艇、船舰和飞机的功能，以下就是它的模样……

值得花大钱！

这种飞碟状的潜水艇预计能够以时速11.6千米的速度在空中飞行，还可以潜入水中航行。万一发生了小小的意外，还备有降落伞。可惜这部机器从来没有成真过，原因有点儿尴尬——它根本行不通！

别气馁！虽然你不能坐飞碟上学，但如果你上学快迟到了，还是可以好好利用马路以及下一章的发明，让你准时抵达学校。不过你的动作要快点儿，因为司机已经等得不耐烦了……

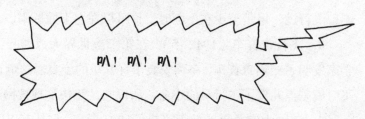

叭！叭！叭！

疯狂的汽车

发明家对人类的两条腿并不满意，所以更愿意设计一些可以跑得很快的机器，即使有些机器显然极为疯狂。接下来，让我们从蒸汽动力汽车开始谈起吧。

还记得理查德·特里维西克那辆会爆炸的蒸汽动力车吗？其实，它并不是唯一一辆失败的蒸汽动力汽车。搭乘蒸汽动力汽车旅行就像在火山口野餐一样……真的很危险！

蒸汽动力汽车的四大悲剧

1. 1769 年，法国发明家尼古拉斯·居纽打造了一辆蒸汽动力汽车，结果这辆车不小心撞上墙壁，制造了史上第一次"车祸"。

2. 美国发明家奥利弗·埃文斯因为设计蒸汽动力汽车而受到别人的嘲笑，而他的工厂还被一名工人放火烧毁了。

3. 在英国，发明家戈兹沃西·格尼为了经营蒸汽动力汽车的载客业务而倾家荡产。当他想向一位高官推销车子时，还遭到反抗政府的暴民攻击，结果这位发明家被打个半死。

4. 一辆蒸汽动力汽车在苏格兰遭到破坏，嫌犯很可能是经营马车生意的人。结果那辆车子的轮子脱落、锅炉爆炸，车上的 4 名乘客也因此丧生。

和火车一样，蒸汽动力汽车经过多次改良，最后也变得既快速又安全。1906 年，斯坦利的蒸汽动力汽车还创下当时的最高车速，以时速 205.5 千米的速度向前奔驰……但是当时以汽油为燃料的汽车已经出现，而且越来越受欢迎。汽车的发明史充满惊奇，也曾多次迷失方向，下面这张年代表可以帮助你厘清那段历史……

由此开始 ➡️

喳喳喳

19世纪30年代

蒸汽汽车上路了。

蒸汽汽车并不安全，因此在这里走上了穷途末路。

咔 砰

19世纪

1859年

比利时发明家艾蒂安·勒努瓦（1822—1900）制造了首台燃气发动机，虽然勒努瓦以它为动力，打造了一辆汽车，但是那辆汽车跑得并不太快……

没有出路

1870年 奥地利发明家马尔库斯发明了以汽油作为燃料的货车，但是它既没有方向盘，也没有刹车。

这次的"脱轨演出"成功！

1876年

德国发明家尼克拉斯·奥托（1832—1891）制造了一种比较稳定的汽油发动机。

不过，这种四轮车还是不够快。1896年前，英国的汽车行驶时都必须跟在一个行人的后面——那个人手上会拿着一面红旗子，提醒路上的人让开一条路……但这只是麻烦的开端而已。早期的汽车很难发动，驾驶者必须用力转动一根启动摇杆才行，而这玩意儿常常会因为驾驶者的手打滑而撞断他的牙齿。即使车子顺利发动了，因为这种汽车没有车顶，车里的人也可能因此被冻僵，而且开不了多远车子就会发生故障。难怪戴姆勒有一次冬天开车外出时会死在他的车上……史上第一次长途汽车旅行相当惊险，不过那次史诗般的旅行，不是由英勇的发明家完成的……而是由一位妈妈和她的两个小孩完成的。

柏莎是她丈夫卡尔·奔驰的动力来源。当人们聚集在奔驰的工厂外面，等着看他的车子撞毁的时候，她却拿出一笔钱来支持丈夫的工作。有一天，为了向世人证明这种汽车非常具有发展潜力，奔驰太太决定瞒着奔驰，自己驾驶汽车前往远在 80 千米之外的娘家。她的小儿子对这趟旅程可能会这样回忆……

1888年
秋天

我的家庭作业

理查德·奔驰

　　昨天，妈妈"借用"了爸爸的汽车，打算开着它带我们到外婆家去。我和哥哥尤金必须很我早起床，蹑手蹑脚走到门外，以免吵醒爸爸。然后，我们两个帮着妈妈把汽车推出了爸爸的工厂。

　　※直到我们坐进汽车里，才发现要面对的困难可真不少。我们三个人之中没有一个知道应该怎么发动车子，也没有人会开车，妈妈甚至都不知道路该怎么走。

　　但最后我们还是上路了……什么事都难不倒妈妈……反正我们最后还是出发了。一路上，路面崎岖不平，而且尘土飞扬。我们还必须在聚药房※门口停车，买一些干洗剂作为汽车的燃料。不只这样，发动机的冷却水老是蒸发干了，我们必须不断停车来加水，妈妈还要我从一条臭水沟舀水出来……

※当时并没有加油站！

最凄惨的是经过山坡的时候：上坡时，我和哥哥都必须下去推车；下坡时更是惊险万分，因为刹车皮烧坏了，妈妈必须去找一名鞋匠来修补。但是，什么事都难不倒妈妈！她从内衣中抽出一段松紧带，用来修理断掉的弹簧；当燃料管堵住时，她就会用自己的帽针疏通。

多么美的风景啊！

但接下来，我们马上又遇到了另一个困难！天色渐渐变黑，但爸爸的汽车上没有灯。幸好，当地人提着灯笼替我们照路。当时我们都累垮了，全身脏兮兮的，浑身都是灰尘。但是妈妈很高兴，她说自己早就知道汽车可以跑完全程，而且已经迫不及待想要开车回家了。但是说老实话，下一次，我宁愿搭火车回家！

哦！

老师评语：很棒的故事，但是我一个字都不信！

55分

5 天之后，奔驰夫人开车载着儿子们回家了，而她的丈夫已经发现他最珍贵的发明不见了。不过谈到发动机……你是不是对于汽车运行的原理感到心痒难耐？嗯，如果你哪里痒，就应该自己好好抓一抓；如果从来都不痒，可能是因为你不是全身油污的汽车技师。

汽车是如何运行的

　　Z 教授把一辆"捡来"的汽车锯成两半，这样一来，我们就可以观察它是如何运行的了。不过，我认为他应该事先征求车主的同意……

链锯：1926年由安德烈·史提尔发明

图中零件说明：

1. 四汽缸内燃发动机。

2. 传动轴：发动机带动齿轮转动，齿轮再带动传动轴转动。

3. 传动轴带动后轮转动。

4. 流线型的外形：当汽车在高速行驶时，使空气能够平稳地流过汽车顶部，让汽车跑得又快又省油。

5. 转向柱：方向盘的转向轴连接到转向柱与齿轮组，用来控制车子的行进方向。

6. 安全气囊：车祸发生时，安全气囊会在不到 1/10 秒的时间内充气，避免驾驶者受到严重撞击……呃，不知道这套设备能不能

保护车主免于被 Z 教授恶搞？

7. 排气净化器：可以净化汽车排放的有毒气体，例如一氧化碳等。

8. 油箱：一定要远离高温的发动机。

9. 差速器：当汽车转弯时，有一侧的轮子移动的距离必须长一点儿，换句话说，那一侧的轮子必须转得快一点儿。性能优越的差速器可以调整两侧车轮的转速。

内燃机的秘密

之所以叫作内燃机，是因为燃料和空气混合后会在它的内部燃烧。相较之下，蒸汽机的燃烧是在它外面的蒸汽炉中进行的，所以叫作外燃机。在内燃机的汽缸里，燃油会发生剧烈的燃烧而释放大量热能，以此推动活塞进行来回的直线运动。人们把这种活塞的直线运动称为"四冲程循环"。

大多数汽车的发动机都是由几个汽缸作为动力来源的，汽缸越多，动力就越大。点燃燃油的火花是由火花塞所产生的，这就是我所谓的"灵光一闪"。哈哈！

事实上，并不是所有汽车都使用汽油发动机，大多数卡车和公交车使用的是柴油发动机，发明这种发动机的人最后的结局很诡异，可能还涉及一桩邪恶的阴谋……

失踪人口报告

失踪人口组　梅线索探长　撰写

姓名：鲁道夫·狄塞尔

职业：发明家

日期：1913年10月

背景：狄塞尔因为在1892年发明柴油发动机而闻名于世。这种发动机能通过压缩汽缸里的空气，使空气温度升高到足以点燃柴油，优点是不需要火花塞，而且燃料费比汽油发动机便宜。

个人困境：狄塞尔运气很差！他曾制造过一种燃烧煤粉的发动机，结果发生爆炸，差一点儿被炸死。而他投资在汽车上的钱大多血本无归……

失踪的经过：狄塞尔本打算到英国向英国海军推销他的发明，但是却在前往英国的船上失踪了！有几位德国渔民发现他的尸体漂浮在海面上，但是不敢把他打捞上船。

这到底是怎么回事？是狄塞尔结束了自己的生命吗？有些警察认定他是自杀，但是其中说不定还有不可告人的内幕。当时的德国与英国正准备开战，没准有人希望狄塞尔死掉，免得他把机密卖给英国。总之，整起事件疑点重重，臭不可闻——尤其当那几位渔民发现在海上漂浮的狄塞尔的尸体时……

可怜的狄塞尔！

他为自己的发明送了命。

1913 年,汽车已经为征服全世界做好了准备。而且和所有的新发明一样,汽车的零部件经过不断改良,性能越来越好。1894 年,汽车的速度只能跟马匹并驾齐驱,但是 10 年之后,汽车能以 160千米每小时的速度奔驰,将马匹远远抛在后头。

1894年前

1913年后

在这个时候,狄塞尔发明的发动机不仅适合作为汽车的动力来源,也很适合货车和公交车,甚至因为内燃机的重量比外燃机轻,它也很适合摩托车(自1885 年起),或是配有舷外发动机的船只。

你肯定不知道!

1. 挪威出生的发明家奥尔·埃文鲁德在美国发明了舷外发动机。1906年的某一天,奥尔划船带着女朋友贝丝前往一座湖中的小岛游玩。后来贝丝想吃冰淇淋,于是奥尔自告奋勇划船跑了4千米去买冰淇淋……结果冰淇淋在半路就完全融化了。筋疲力尽的奥尔发誓要制造一种连接在螺旋桨上的发动机,作为小船的动力来源。

2．与舷外发动机有关的浪漫故事还不止前面那一桩。2002年，不列颠哥伦比亚省的一只公天鹅布鲁斯爱上了一台舷外发动机，因此没有跟着它的天鹅朋友一起飞走。这只呆头鹅留下来陪伴生命中最"机"形的爱人……

如今，有些人也疯狂地爱上了他们的机器，其中不乏一些汽车发明家。他们设计了许多疯狂的机器。下列哪些古怪的发明实在太疯狂了，根本不可能是真的？

疯狂汽车大考验

是非题

1．一部以汽车发动机提供动力的机器，在电影中喷射出18米高的火焰。

2．狗狗专用汽车——"走狗"号，具有爪子专用踏板、鼻子操控的方向盘，还附赠一张音乐光盘，里面都是狗叫声。

3．一张装了发动机的野餐桌，可以让你一边欣赏风景，一边享用三明治。

这张桌子每小时可以"跑"几千米？

4．轮子上绑了自动洗碗机的汽车。

5．会摆出各种表情，还会哭泣的汽车。

6．附设厕所的汽车。

答案

1. 真的。这台机器是克利夫·理查森在20世纪70年代设计出来的，发动机负责为燃油泵提供动力以点燃燃油。这台机器听起来很劲爆……不！你不可以在自然课上做这个实验！

2. 假的。如果你打算教你的狗狗开车，没准儿会被警察关进狗笼里。

3. 真的。2003年，一位美国发明家想出了这个主意，他想要为餐桌加装发动机，并把椅子装上轮子。但这辆车有一个小小的缺点……它可能会令驾驶者因为晕车而把三明治呕吐出来，或是使正在野餐的人不自觉地掉下悬崖。

4. 假的。但是1952年有一项新发明是把洗衣机绑在汽车的轮子上。它的缺点是：如果车子的时速超过40千米的话，衣服会被绞成碎片。

5. 真的。信不信由你！2004年，丰田汽车公司的科学家发明了一辆由计算机控制的汽车：当它伤心时，两个大灯会互相靠近；当它惊讶时，则会扬起"眉毛"；当它苦恼到了极点，还会流下"眼泪"……不过放心，它不会跟交通警察吵架。

6. 真的。在2005年，两位英国发明家开着一辆配有厕所的汽车前往意大利。其实，这也不是什么新点子了……早在20世纪初，美国一位百万富翁就曾经定制了一部配有马桶的豪华礼车，他一定花钱如流水……

开车旅行再也不用憋尿了！

当然，这可是配有马桶的劳斯莱斯车！

事实上，汽车并不像计算机游戏那么好玩，每年都有数十万人因为车祸而丧生。从汽车发明之日至1951年，仅在美国，就有大约100万人死在马路上……而且尽管有排气净化器，汽车还是会排放出有毒或令人窒息的尾气，其中的污染物就包含二氧化碳。而现在许多科学家都认为，二氧化碳是造成全球变暖的罪魁祸首，也与极端的气候变化有关，包括致命的干旱、可怕的热浪和使很多人灭顶的洪水。

你肯定不知道！

大多数内燃机都使用汽油或柴油作为燃料，然而在2005年，一位德国发明家在普通燃油中，混合了一种由20只被碾毙的猫以及腐烂的垃圾所制成的燃料。

哇，真臭！

回顾20世纪，当时的情况更糟！那时，汽车排出的废气中还含有铅。1921年，为了抑制发动机的"爆震"（油料不正常的自燃现象），一位发明家把一种含有铅的化合物加进汽车燃料中。在20世纪80年代禁用含铅汽油之前，汽车所排放的铅已经毒害了几百万人的脑部。接下来，这位发明家即将参加一个"与死人谈话"的电视节目，参加这个节目的来宾都必须已经离开人世了……

死脑筋

大家好，本节目专访死人！

本周我们将"挖掘"美国发明家托马斯·米奇利（1889—1944）的故事，就是他把含铅的化合物加进汽油里的。

您好！

"托马斯·米奇利在此安息 1889—1944"

您于1921年提出了这项发明。为了证明这种化合物很安全，您还亲自吸入这种充满臭味的化合物长达1分钟……

是的，我嗅到了成功的气味。

很遗憾，这种有毒的化合物让您铅中毒了。

呜呜！

到了1930年，您又制造了一种称为"氟利昂"的气体，作为电冰箱的制冷剂。

最新 全自动结冰

为了证明它很安全，我也吸入了它。

请翻到下一页

可是后来科学家们发现氟利昂会破坏臭氧层，而臭氧层可以阻挡太阳发出的有害射线，以免我们受到这些射线的袭击。

难怪大家都对我生"气"。

您在感染小儿麻痹之后腿就瘸了，于是您发明了一台机器让自己能够下床，遗憾的是，这部机器却把您绞死了……

我是自作自受。

您的发明都不太吉利。

我真的"倒霉"死了！

那么各位读者，你现在对汽车有什么看法呢？嗯，有件事是确定的：虽然发明家的初衷是好的，但是有些发明还是造成了不良的后果。例如：托马斯·米奇利原本是为了寻找旧式制冷剂的替代品才发明了氟利昂——那种旧的制冷剂也是一种有毒气体，经常会从冰箱里逸散出来，毒死正在睡梦中的人。

不过，任何电冰箱（不只是有毒的那些）如果没有能源推动内部管线中的制冷剂进行循环，把热从电冰箱中抽取出来，就不会具有冷却效果。是什么能源这么方便又好用呢？

嗯，下一章可能会带给你很大的冲击……

非常来电的发明

本章的主题是……

铃！铃！铃……

呃，对不起！

10 分钟后……

真奇怪，为什么电话老是在你很忙或是不方便接听的时候响起来……言归正传，刚才那个电话是本书的编辑打来的，她要我向你介绍发明电话的过程，以及电话是如何使你能够与远方的朋友聊天的。

完整的电话发明史

事实上，第一个利用电流传递信息的发明不是电话，而是电报。电报诞生于 19 世纪 30 年代，原理是利用电线发送电信号，而电信号则以摩尔斯电码的形式传送信息。摩尔斯电码是为纪念美国发明家萨缪尔·摩尔斯（1791—1872）而命名的。

有胆你就试……发出摩尔斯电码

你需要：

▶ 两个人（你可以当其中一个，另一个可以是你的好朋友），确认他们都有指甲

▶ 两本《目瞪口呆话发明》……如果你们只有一本，可以把下一页复印一下

▶ 几张餐桌或学校的书桌

▶ 几张纸与几支铅笔

实验步骤：

1. 写下要传送给朋友的一句英文短句。

> **MR STINKS SMELLS**

2. 根据摩尔斯电码表，把短句中的英文字母转换成点和线的排列。

摩尔斯电码表			
A ·—	H ····	O ———	V ···—
B —···	I ··	P ·——·	W ·——
C —·—·	J ·———	Q ——·—	X —··—
D —··	K —·—	R ·—·	Y —·——
E ·	L ·—··	S ···	Z ——··
F ··—·	M ——	T —	
G ——·	N —·	U ··—	

3. 在桌子上敲出短信。可以用指甲敲出较清脆的声音代表"点"，然后用指尖柔软部分敲出较低沉的声音代表"线"。

4. 你的朋友必须依序记下你传给他的信号，然后利用摩尔斯电码表找出它们所代表的意思。

小心老师

注意！有些老师可能曾经学过摩尔斯电码，所以如果你们传送粗俗无礼的话而被老师逮到，只能怪你的朋友，不能怪我，明白了吗？

你肯定不知道！

1845年，电报曾经在英国立下大功：当时的英国民众利用电报抓到了一名杀人犯。这个杀人犯名叫约翰·塔威尔，他杀了自己的女朋友，并从斯劳乘火车逃走。幸好一名机智的电报员及时给伦敦发了一封描述杀手相貌的电报，因此警察得以在伦敦火车站顺利逮捕那名凶手。

在英国维多利亚时代，电报非常普及：电报用的缆线横跨海洋传送新闻报道与八卦消息，有些人还因为电报的牵线而结婚。不过，当时的发明家已经开始研发利用电流传送声音的"电话"了……

1876年，美国发明家亚历山大·贝尔（1847—1922）取得了第一个电话的专利，但后来很多发明家宣称自己比贝尔早了好几"贝"的时间就完成了电话的发明。其中一位是德国的自然老师菲利普·莱斯。早在1861年，他就在学校里使用软木、缝衣针和香肠的肠衣制造了一套电话系统，不过这套系统并不稳定。一再挫败的菲利普在争论谁是第一个发明电话的官司中落败，当他走出法庭时一定会有脑筋"搭错线"，差点儿"挂掉"的感觉……

我将给Z教授打个电话，请教贝尔电话的工作原理……

电话是利用声波使话筒中的振动板发生振动，再由振动板带动感应线圈中的磁铁振动，于是在线圈中的电线内部产生感应电流，传向缆线的另一端；在另一端，感应电流会使磁铁振动，再由磁铁带动振动板振动，振动板就可以重现原本的声音！

磁铁

哗啦

别吵，我早就知道了！

你肯定不知道！

现在，大多数电话线使用的都是光纤电缆，这意味着信息不是通过电流波动传递的，而是利用光线的光脉冲波来传递的。

在电话发明几年之后，贝尔又想出另一个与电有关、同样令人震惊的发明——可以找出子弹的金属探测器，而且第一位使用者就是美国总统加菲尔德。如果我们找出当时加菲尔德总统的病历，上面很可能是这样写的……

加菲尔德总统的医疗报告

胡气 医生 撰写

1881年7月3日

　　昨天，加菲尔德总统在华盛顿车站遭人开枪射击，现场有一位医生立刻喂总统服药，让他放轻松，但是总统却把药都吐了出来。等到我抵达现场之后，试着用金属探针把子弹从总统身上取出，结果探针卡在总统体内，害他痛得要命。然后我决定用手指头试试，但是仍然没有用。

7月26日

　　总统生命垂危，而且过程缓慢又痛苦，伤口还流着脓……

真不敢相信他会伤得这么严重！今天有位发明家亚历山大·贝尔，带来一台号称能够找出子弹位置的仪器。这台机器有两组线圈：第一组线圈接上电池，第二组线圈接上贝尔的新型电话。当第一组线圈靠近金属时，电话就会传来微弱的嗡嗡声。

　　嗯，我认为这台机器根本没有用！因为贝尔说他一直听到嗡嗡声，但还是不知道子弹在哪里。同时，可怜的总统因为一直触电而龇牙咧嘴，我猜他永远也搞不懂贝尔满嘴的科学术语。贝尔也一头雾水，因为这台机器在实验室里明明有用，可以找出藏在嘴里以及腋窝下的子弹，偏偏在这里却失去了作用。如果你问我，我觉得这套现代仪器根本没有用，还不如老派但可靠的手指头！

事实上，这部机器真的有用，只是它在当时检测到的是床垫中的金属弹簧。在那个时候，16位医生努力想要抢救加菲尔德总统，都把自己沾有病菌的肮脏手指伸进了总统的伤口。到了9月19日，加菲尔德总统过世，凶手是那颗子弹以及……他的医生们……开枪的凶手查尔斯·吉托在法庭上就是这么宣称的，不过法庭并没有相信他的说法，还是判处他死刑。

Z教授的秘密总部

Z教授正准备把恶犬缩小到像豌豆一样大，然后塞进烤面包机里，为我们展示电流如何把恶犬变成热狗。

电流是由比原子还小的电荷在导体中发生移动所形成的，而电荷是带电的电子或离子；在金属中的电流就是电子的移动。

1. Z教授把烤面包机的开关打开，使电流流经导线。当导体内的电子或其他带电粒子做定向运动就形成了电流，定向移动过程中会与导体中的其他粒子不断碰撞，导致发热。

2. 利用导线发出的热能把面包烤热。

3. 恶犬也觉得越来越热。

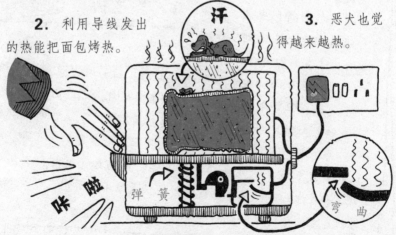

4. 当温度越来越高，金属片受热后膨胀而开始弯曲。

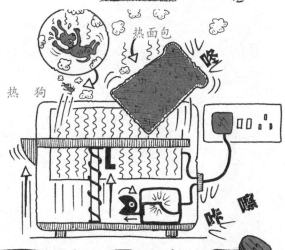

5. 当金属片膨胀弯曲到一定程度，就会触及电流开关而形成电流通路，使钩住弹簧的钩子松脱，放开弹簧，让吐司弹起来！

热面包

热狗

你肯定不知道！

美国的某些州过去曾经以电椅处决死刑犯。他们让死刑犯坐上电椅，然后通电，使犯人因为触电而身亡。咱们的老朋友爱迪生就支持这项残酷的发明。1890年，威廉·凯穆勒成为第一个被电椅处死的犯人。因为这种处决方式实在太残酷，现在美国各州基本上已经不再采用了。

严重警告

希望以上内容可以使你心生警惕，不要尝试任何带有强大电力的疯狂实验，也不要随随便便把电器拆开。

令人兴奋的现代电器

现代化的房子里充满了各式各样的电器。我们拜访了Z教授的秘密犯罪总部，希望能了解某些电器的发明……

1. 吸尘器：从总部的脏乱程度来看，平时应该很少使用。在1901年英国工程师布斯发明最早的吸尘器之前，清理灰尘的机器的功能是"吹"灰尘而不是"吸"灰尘。到了1907年，另一位先驱者——美国发明家班格拉，利用旧箱子、枕头套、电风扇、扫把柄、火炉管以及粘了山羊鬃毛的滚轮制造了一部吸尘器，更重要的是，它吸得非常干净！

2. 电熨斗：由教授皱巴巴的衣服判断，他根本没用过！美国发明家亨利在1882年发明了电熨斗，而这真的是很棒的发明，只不过当时并不是家家户户都有电可用。

3. 手电筒：停电时用来照明。20世纪初，美国人康拉德·休伯特开始售卖手电筒。在此之前，他卖过一系列有灯泡的产品，例如在黑暗中会发光的头颅，以及男人领带上的鬼脸饰品。

4. 洗衣机：方便清除实验服上的血迹。洗衣机也是美国人发明的，它诞生于20世纪初。不过，当时的洗衣机只能把衣服搅一搅而已，其余的工作都要人自己动手完成……

你肯定不知道!

1995年，有人设计了一台"冲浪机"，而这个构想似乎源于洗衣机。美国人的这项发明拥有一个巨大的可旋转滚筒，装水后，冲浪者只要爬进去、启动开关……就可以冲浪了！小心！别把身上的骨头都撞断了。不过这项发明虽然已经取得了专利，但至今仍未上市。

还有更多电器发明曾经取得专利，但是从来没有生产，更别提售卖了。以下是一项古怪的发明大考验，可以测试出你的发明潜能。请把这些古怪的电器和它的功能配对。不过为了让考题更具挑战性，功能的选项中加入了两个多余的选项……

古怪功能大考验

失败的发明	可能的功能
1. 一个不停旋转的圆锥。	a. 把地上的狗大便吸起来。
	b. 利用磁力把垃圾捡起来。
2. 装在马桶边缘的灯。	c. 让老人家走路的速度达到20千米每小时。
3. 通电的地板。	d. 电击乱尿尿的狗狗。
	e. 电击小孩。
4. 装了电池的拐杖。	f. 让人晚上上厕所不会掉进马桶里。
5. 装了电线的教室。	g. 让人更容易舔冰激凌。

答案

1. g。你可以把冰激凌舔成有趣的形状。

2. f。你可以把灯装在卫生间的地面上，从而把地面布置得像飞机跑道一样。这个构想可以省去晚上开灯的麻烦，半夜上厕所也很方便。此外，日本发明家在20世纪60年代曾经设计了一款音乐马桶，让人可以在上厕所时自由选择聆听一段欢乐活泼的流行音乐，或是放松心情的古典音乐，然后继续坐在马桶上长期抗战。

最佳流行乐

最佳扑通声

3. d。狗尿会接通电路，狗狗会因此触电而得到一次难忘的教训。

4. a。拐杖里还附有装狗大便的袋子，可以连续使用10次。德国有一项类似的发明，可以从狗的身体上直接吸出粪便，不过细节实在太恶心了，我不想谈！

5. e。当学生答错时，就用电击惩罚他们！它的确很有效，不过因为太残忍而被禁用。千万不要把这项发明告诉你的老师，否则他可能会想办法解除禁令……

哇！看来电器好像无所不能。你知道吗？ 1927年，一位英国发明家甚至设计了一台可以翻书的机器……不过，它只能翻一半！幸好你有自己的翻书机器……对，就是你的手指。嘿！何不利用你的翻书机器翻开下面几页，欣赏更多的搞怪广告！

搞怪广告时间（三）

很多愚蠢的发明家想要改善你的生活，有些甚至想要拯救你的生命（如果你没先被他们的发明害死的话）。以下这些发明都没有成功，所以你统统买不到，说不定这是好事……

享受生命中的宝贵时间（趁还来得及的时候），请购买……

生命计时表

随时提醒你：你还剩下多少时间可活！

只要把你的生活方式输入这只手表，它就会显示你还剩下多少年、多少天和多少小时可以活。（举例来说，如果你抽烟，生命就会缩短。）甚

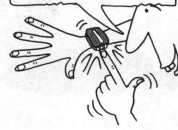

> 我热爱特技跳伞、走钢丝，还想当驯兽师和拳击手……

什么？只剩1小时了？

至当你的生命该结束的时刻，还会有闹铃提醒你！很贴心吧！赶快买一只，否则就太迟了！

注意事项

这项由美国发明家在2002年提出的新发明，其实不能"真的"计算出你还有多久时间可活，它只是根据平均寿命估计而已。

计时马桶座

这是一项在马桶座上绑时钟的创意发明，最适合送给想要随时"掌握"时间的人（现在他们在马桶上也可以"坐拥"时间了）。

▶ 整天把屁股粘在马桶座上的人，可以知道自己到底浪费了多少时间！

▶ 在星期天上午，可以为全家人举办一场超有"气氛"的"厕所久坐王"竞赛！

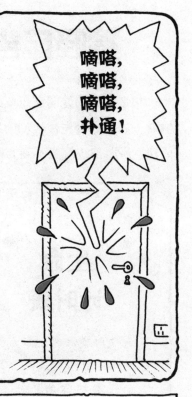

嘀嗒，
嘀嗒，
嘀嗒，
扑通！

粉红兔注射筒

全世界的小孩都讨厌打针，但是有了这项新发明，他们就会发现打针也可以很好玩！只要把这只粉红兔拿给必须打针的小孩，这只兔子就会冷不防地伸出一根针刺向他们！

哇哇哇！
坏兔兔！

注意事项

保证让您家的小孩一辈子都怕兔子。

马桶换气管

如果被困在着火的屋子里，千万别吸有毒的浓烟！想要活下去，请使用马桶换气管。只要把管子伸进马桶底，就能吸到一口从污水管里冒出的清新空气！

新鲜空气？呃，这可是通过污水管的空气……

吸

X光透视图

注意事项

来自污水管的空气可能和浓烟一样致命，所以除非发生火灾，千万别在家里尝试这个实验！

早上起床很困难吗？

你需要……

冷风闹钟

丁零零

呼

透过空气泵和管子，把冷气机的冰冷空气直接吹到你的脸上

注意事项

1. 这项发明的灵感显然来自狠心的父母。为了叫孩子起床上学，他们会在寒冷的清晨打开孩子卧室的窗户。

2. 冷风可能会造成肌肉僵硬、无法动弹，让你更没有办法起床。

安全"避蜂"袋

如果遭到虎头蜂的攻击，只要用这个像棺材的袋子把自己包住就万事ok了！不过如果有虎头蜂钻进你的"避蜂"袋……它就真的变成棺材了！

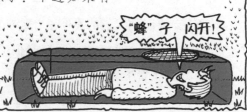

"蜂"子，闪开！

火场逃生的降落伞

有了这套降落伞帽和
靴子，就可以从火灾中轻
松逃生了！

注意事项

1. 这顶降落伞太小，根本没有办法承
受人的重量，所以别轻易尝试！

2. 在跳伞的瞬间，作用在脖子上的拉
力会扯下你的头。在紧急情况下掉了头可就
不妙了！

别让口臭毁了你的一生

只要戴上这个漂亮的口臭面罩，就能
轻松解决口臭的烦恼……不过你必须用鼻
子呼吸。这个面罩也可以当成口臭自我检
测器，在朋友告诉你之前，提前检查自己
有没有口臭……

注意事项

戴上这个口罩，看起来会很像抢劫银行的抢匪。

接下来，要回到我们的发明之旅，继续介绍电视与收音机。嗯，
下一章都在谈电视与收音机，一定是很棒的一章！

准备好要收看了吗？

神奇的收音机与电视

第一个发射无线电波的人是聪明的研究员亨利·赫兹，不过现代收音机的发明则要归功于意大利发明家古列尔莫·马可尼，他在1901年的某一天，尝试利用无线电波发送一则信息穿越大西洋。但是，这可能吗？

纽芬兰，1901年12月12日

年轻的发明家马可尼正专心听着耳机里传来的嘤嘤声与啪啪声，试图辨识其中的摩尔斯电码，因此没有察觉到怒吼的狂风正猛烈地摇晃着墙壁和窗户。这些微弱的摩尔斯电码跨越了大西洋，从距离4800千米外的对岸传送过来。

但是，这可能吗？

专家和科学家都认为这个实验不可能成功。如果他们说对了，现在还会有人认真看待马可尼的实验吗？

突然，他听到信号了。

3个嘀嗒声。

"你听到了吗？肯普先生。"他兴奋地问工程师。

乔治·肯普皱着眉头戴上耳机。幸好他也听到了，马可尼松了一口气。这3个嘀嗒声是摩尔斯电码里的"S"，由对岸的英国发出，以每秒300000千米的速度穿越暴风雨肆虐的大西洋，最后被马可尼的天线接收到了。而这天线是用风筝升到半空中的，在暴风雨中几乎快被狂风吹走了。马可尼偷偷地笑了，他一直都知道自己是对的……

不可思议的发明家

姓名：古列尔莫·马可尼

国籍：意大利

成名原因：马可尼一直相信无线电会成为串联全世界的通信媒介，但是整个意大利没有人把他的话当真，于是他跑去英国实现自己的理想。

不可思议的发明：他不断改进无线电机组以及天线，直到达到跨海传送信息的目的。

可怕的细节：1912年，当世界上最大的邮轮——泰坦尼克号撞上冰山，并且开始沉没之际，无线电操作员杰克·菲利浦就是利用马可尼的无线电机组发出求救信号的。虽然杰克在这场灾难中丧生，但是他的英勇行为却拯救了705条人命。

漏网新闻：1912年，马可尼被控与英国政府签订秘密协议，为英国建造无线电台。马可尼不想用无线电技术制造收音机，因为他不喜欢用无线电波传送人们的谈话和音乐，并且认为无线电就应该搭配莫尔斯电码……他错了。

"无言"的结局：马可尼正确地预测出无线电会成为风行全世界的产业。他在1937年去世时，全世界所有的无线电台都静音两分钟，以纪念这位伟大的科学家与发明家。

表达敬意的方式

静 音

你肯定不知道！

俄国人亚历山大·波波夫（1859—1905）与马可尼同时发明了天线。许多发明家会在同一时间想到同一个点子，这种现象非常普遍，而到底谁才是第一个想到新点子的人，常常会引发争议，但是波波夫与马可尼第一次碰面的时候，两人却相处得十分融洽。我想，他们两个人应该具有相同的频率……

嗯，无线电发明的经过大致如此。现在我要问你一个问题，应该是你在听收音机节目（透过无线电传来的）时从来没想过的问题：收音机是怎么运作的？嗯，你最喜爱的广播节目是由无线电波传送过来的……呃，这里我有点儿不懂……Z教授，无线电波是什么啊？

 无线电波是天线中的自由电子发生振荡加速，所发出的电磁波*。  啥？

作者的警告

前方有复杂的科学知识，请务必慢慢阅读！

无线电波中相邻的两个波峰越靠近，代表波的频率越高。

在广播电台里，麦克风先将声音转换成电流信号，由发射机把电流信号转换成无线电波并发射出去。

广播电台

哈喽！

无线电发射机

*电磁波是由振荡的磁场和电场所形成的波。

电台发出的无线电波，是由声音信号加上一种特定频率的电磁波所组成的"载波"，不同的广播电台会发出不同频率的载波。

当你调节收音机的选台转钮时，就是把收音机内的无线电接收器调到特定的频率，以接收特定电台所发出的载波，再把声音信号分离出来，还原成声音。

带有声音信号的电流会先经过放大，再由喇叭还原成声音并播放出来。

我要听吸血鬼电台播放的摇滚乐！

令人沉迷的电视

只要有人发明了新东西，就会有一大堆发明家想要改良。收音机是一项获得巨大成功的发明，但是到了 20 世纪 20 年代，发明家还想更进一步：他们希望无线电波不止是传送声音，还能够传送画面，因此发明了电视。不过跟过去一样，提出点子很容易，想实现可不简单。

第一位成功发明电视的人，是一位邋遢多病的发明家，名叫约翰·洛吉·贝尔德（1888—1946）。贝尔德耗费了生命中漫长的岁月，进行这项史诗般的奋斗。不过他发明的电视画质很糟糕，完全比不上今天的电视。等一下我们会介绍现代电视。但是在此之前，你知道吗？第一个出现在电视上的角色是一个名叫史都基·比尔的腹语木偶。下面我们将对比尔进行有关贝尔德发明电视经过的采访。

再见杂志

我成为电视明星的日子

史都基·比尔专访

驻外记者：仇闻

仇闻：请谈谈您对贝尔德的印象。

比尔：我才懒得理贝尔德，他这个人就像木偶一样呆板。

仇闻：您是说……像您一样吗？

比尔：哈哈，这不好笑！贝尔德是个失败的发明家，他曾经发明了一种新鞋子，结果自己穿上后却跌倒了；他还发明了一种不会生锈的剃刀……

仇闻：听起来是很"尖端"的科技……

比尔：我可不这么认为！贝尔德被这把剃刀刮成重伤，最后只好放弃这个点子。当我遇到他的时候，他根本没有钱，只能住在狭小的阁楼里，而且披头散发，眼睛老是盯着人看，已经接近疯狂的状态……

仇闻：听起来跟您很像。

（这时候，比尔以一种令人不安的眼神瞪着我。）

仇闻：谈谈您第一次上电视时的情形吧。

比尔：贝尔德的电视是一堆垃圾……嗯，其实它真的是用垃圾做出来的。它原本只是一个帽盒的盖子，上面挖了几个洞，用缝衣针固定住，然后拿风扇对着它吹，让它随风转动。

仇闻：那谁负责摇扇子呢？

比尔：当然不是由人来扇风，你真的像木偶一样呆……是电风扇吹的啦！事实上，根本没有人想帮贝尔德的忙。每个人都在嘲笑他，说他的电视根本不可能成功。但是他没有放弃，继续改良。直到有一天，他把我固定在这台机器前面，害我必须盯着一整排高温的灯泡，几乎被烤熟了！不过，毕竟我是专业演员，所以并没有抱怨……

仇闻：当贝尔德看到画面时，一定高兴极了……

比尔：没错！他乐疯了！所以立刻冲到楼下办公室，抓住一个叫作威廉·泰顿的男孩。贝尔德把盒盖固定在机器前面，要求他伸出舌头，并摇头晃脑。"威廉，我看到你了，我看到你了！"贝尔德大叫。哼，他"看到"我的时候，可没有这么高兴！然后他们两人交换位置，又做了一次实验。

仇闻：我听说贝尔德必须付钱，威廉才肯满头大汗地留在又热又明亮的机器前面。

比尔：嗯，真会讨价还价……不过，这就谈到我的伤心处了。你知道吗？贝尔德从来都没有付钱给我……对了！这次采访你打算付我多少钱？

仇闻（抓起外套）：呃，时间差不多了吧？对不起……我该走了……八点的节目快要开始了……

这种机器的运作原理是：当帽盒盖子开始旋转时，来自拍摄对象的光会穿过盖子上的小孔并形成影像，不过这种影像非常模糊，就像透过液体看东西会看不清楚一样。

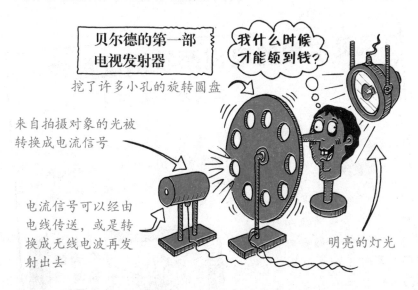

贝尔德的第一部电视发射器

我什么时候才能领到钱？

挖了许多小孔的旋转圆盘

来自拍摄对象的光被转换成电流信号

电流信号可以经由电线传送，或是转换成无线电波再发射出去

明亮的灯光

你能成为发明家吗

猜猜看，贝尔德本想利用什么东西进行电视实验的？

a）一只色盲的仓鼠

b）飞在半空中的风筝

c）人的眼球

答案

c）贝尔德知道眼球有感光组织，所以我们才能看得见东西，而他决定研究清楚。他的一位朋友是外科医生，刚好在医院里摘除了一颗眼球，于是就把它交给贝尔德。贝尔德把这个人体器官包在手帕里带回家，但是在企图解剖它时，不小心把它切碎了，结果只好将它丢进垃圾桶。

虽然贝尔德不断改良他的电视，影像还是很糟糕。因此在1936年，当英国国家广播公司的工作人员测试这套电视系统时，留下了不太好的印象……

贝尔德的电视系统测试报告

摄影棚经理迈克　撰写

贝尔德的电视很糟糕！他的摄影机非常吵，又很危险，我们必须把它们放在隔音的房间，而且牢牢固定在地板上才行。电视的画面也很糟糕！为了让观众可以看清楚，演员们必须把脸涂成黄色、嘴唇涂成蓝色，而当这些颜料因为摄影棚里灯光的高温而融化时，这些可怜的演员看起来就像怪物。而且任何身穿红色衣服的人，在电视里看起来都会像没穿一样。

以上是今天的新闻。

与此同时，其他发明家正在努力发展另一套电视系统，包括美国人弗拉基米尔·佐利金（1889—1982）和菲洛·法恩斯沃恩（1906—1971），以及日本一位名叫高柳健治郎（1899—1990）的老师。虽然他们各自在不同的地方努力，但都不约而同地利用一种叫作"阴极射线管"的装置来改良电视。这种新式的电视会发射电子束撞击电视屏幕，而屏幕内层涂有荧光物质，受到电子撞击时会发出光线，最后在屏幕上形成清晰明亮的影像。总之，这种电视系统比贝尔德的好多了。于是，英国国家广播公司在1937年舍弃了贝尔德的电视，改为采用这种新型的电视系统。

史上第一批电视的售价相当于当时普通人一年的薪水，但屏幕却只有金鱼缸那么大，而且每天只有两个小时的节目可以看。随着电视的不断改良，到了 20 世纪 60 年代，已经有多达数百万人整天黏在电视机前面。不过这种"阴极射线管"的电视到底是怎么运行的呢？我们需要……

重返Z教授的机密总部

为了说明他的老旧电视机是如何运行，这位疯狂科学家把恶犬缩小，放进电视机里……

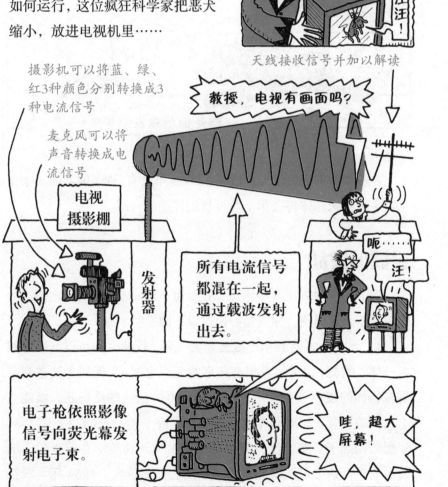

天线接收信号并加以解读

摄影机可以将蓝、绿、红3种颜色分别转换成3种电流信号

麦克风可以将声音转换成电流信号

电视摄影棚

教授，电视有画面吗？

发射器

所有电流信号都混在一起，通过载波发射出去。

呃……

汪！

电子枪依照影像信号向荧光幕发射电子束。

哇，超大屏幕！

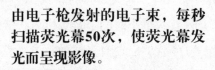

由电子枪发射的电子束，每秒扫描荧光幕50次，使荧光幕发光而呈现影像。

汪！我觉得很不舒服！

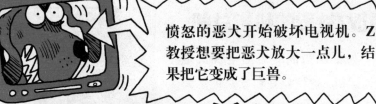

愤怒的恶犬开始破坏电视机。Z教授想要把恶犬放大一点儿，结果把它变成了巨兽。

哇哇哇！

都是你的鬼发明害的！

Z教授的电视机已经落伍了。2000 年左右，许多国家陆续推出了数字电视机，你将在第115页找到详细的介绍。

灵感的波动

收音机和电视机真是不可思议，对不对？不过，利用电磁波的发明可不止这两项。你可能听说过以下的发明：

1. 雷达。雷达利用电磁波侦测飞机，就像你利用声波制造回声一样。首先，由天线发出高频率的无线电波，当无线电波遇到飞机等物体的表面后会发生反射，天线再侦测这些反射波，就能找出飞机的位置。这是科学家沃特森·瓦特（1892—1973）在 1935 年想到的点子。第二次世界大战期间，雷达让英军在前来攻击的德国飞机抵达之前，就能事先侦测出它们的位置。1954 年，沃特

森·瓦特在加拿大因为开车超速而被开了罚单，当时的警察就是利用雷达测速器确定他超速的，而且这位科学家正要赶去发表一篇论文，主题就是……雷达。

2. 微波炉。1945年，美国发明家培西·史宾塞发生了一件尴尬的意外，促成了微波炉的发明。当时，他正好从一个磁电管（雷达中用来产生微波的装置）旁边走过，结果口袋里的巧克力竟然立刻融化成一团。困惑的史宾塞又利用微波爆了一袋玉米花、炸开了一颗蛋……最后终于发现：他找到烹调食物的新方法了。微波会使食物中的水分子发生振荡、互相碰撞，让食物的温度上升。所以，这真是一个非常"热"门的发明。

3. 移动电话。移动电话其实是便携式的无线电发射台，最早出现在20世纪40年代的美国。移动电话可以与附近基站交换信息，基站是移动电话网络不可或缺的部分。

顺便说一句，现代的移动电话已经不只是电话而已，通常还附有数字摄影以及上网功能……事实上，它们除了没办法帮你刷牙和写功课，几乎什么事情都能做。

本章中所有发明的成功关键都是使用了计算机或电子零件，而下一章就要介绍这些神奇的计算机和电子零件，一定会让你惊讶到连眼珠子都快掉出来！

好啦，好啦，我不会再提钱的事了！

聪明的计算机

如果没有计算机，生活会有什么改变呢？

嗯，孩子们不能打电子游戏，网络可能只代表手边的捕鱼"网"，而且本书作者可能要用老派的圆珠笔写作，最后因为字迹潦草，连自己都看不懂。不过往好的一面想，至少大人们不会再因为计算机死机而暴跳如雷……

> 不过，他们还是会因为其他事情而乱发脾气！

计算机的起源

人们因为讨厌计算，因此发明了一些工具来帮忙，例如计算机。最古老的计算工具是古代中国人发明的算盘。直到今天，在中国和日本仍然有人使用算盘，而有些珠算高手用算盘计算的速度几乎跟小型计算器一样快，真是神机妙"算"！

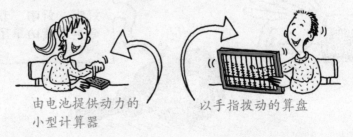

由电池提供动力的
小型计算器

以手指拨动的算盘

17世纪，法国人帕斯卡（1623—1662）和德国人威廉·西卡尔德（1592—1635）等人发明了会计算的机器，但是后来英国的发明

家巴贝奇（1792—1871）却希望发明功能更强大的计算机器。巴贝奇说服英国政府拨款数千英镑，用来研发新的计算机器，但是最后没有成功。不过你可能很高兴知道：1991年，伦敦科学馆的科学家们依照巴贝奇的构想，制造出计算器的雏形，而且这台机器真的能计算！今天，这台机器就放在伦敦科学馆公开展示，而巴贝奇聪明的大脑则被浸泡在药水里，放在这台机器的旁边……不，我不知道为什么要把他的大脑放在那里……我猜，只是为了让人毛骨悚然吧！

巴贝奇的机器无须插电，原因很简单：当时还没有电。后来的发明家努力研发以电力驱动、功能更强大的计算机器——电脑，其中就包括：德国人克兰德·楚泽（1910—1995），他在父母的客厅里制造了一部计算机；还有美国人布什和英国人图灵（1912—1954）两位发明家。

第二次世界大战期间，图灵在英国政府最高机密的情报单位工作，负责破解艰深难懂的德军密码，因此有机会参与到早期计算机的研发工作中，这些计算机可以加快破解密码的速度。根据一些专家的说法，第二次世界大战因为计算机提前1年结束，从而拯救了数百万人的生命。战后，图灵又研发了一些新型计算机，但是他受到一些私人问题的困扰，心情越来越沮丧。最后，这位聪明的发明家吞下了毒苹果，结束了自己的生命，当时他才42岁。

早期的计算机就像恐龙一样，我的意思是：它们不但庞大，而且既危险又笨拙。事实上，当时功能最强大的计算机，也比不上现

在任何一台小型计算器。在那个年代，计算机是以一种叫作阀（真空管）的装置来控制电流的。阀看起来就像灯泡，需要耗费大量的电力，而且温度很高，所以计算机必须放在空调房内才能正常运作。

　　如果在你的学校放一台早期计算机，只要有人用它玩计算机游戏，整个学校都会跳闸！当然，今天的计算机已经不可同日而语！为什么计算机的体积越来越小，运算却越来越快，功能也越来越强大？关键就在：计算机的芯片……

微妙的芯片

　　1. 芯片是史上最令人震惊的发明，简直让人目瞪口呆、口水直流。想象一下，如果把整座城市的道路和建筑物全部缩小到可以挤在一片指甲上，会是什么情形？嗯，这就是芯片上的情况！不过芯片上当然没有挤满小人、小车和小房子，而是由硅（硅是存在于沙子中的物质）和银混合了其他的化学物质所打造的迷你城市，上面挤满了电子组件。

　　2. 芯片是在 1958 年由美国人罗伯特·诺伊斯和杰克·基尔比发明的，不过他们两个人是各自进行研发的。当时杰克刚刚到美国得克萨斯州仪器公司任职，有一天公司放假，但杰克是新员工，所以还是得上班。当时的他灵机一动，想到了芯片的点子，因此只工作、不消遣，并没有让杰克变成笨孩子！

3. 每一片芯片都包含好几百个晶体管，晶体管是电路的微小开关，借着晶体管的开关来产生电子信号，让芯片可以对计算机的其他部件下达指令或储存数据……

你肯定不知道！

2001年，东京大学的科学家把芯片和蟑螂的神经连接起来，然后利用遥控器控制蟑螂朝各个方向奔跑。"接下来要发明什么？"我听到你倒抽一口气，"机器小男孩吗？"

恶劣的二进制

虽然不同的计算机会使用不同的程序代码——又称为计算机的"语言"，不过所有的计算机语言都必须进行二进制的运算。二进制是只由0和1两个数码组成的数系，字母或指令都必须先转换成二进制的数字，才能输入计算机，然后以1代表开启电流通路，以0代表关闭电流通路，就像以灯光的明暗来传递密码。想想看，电动玩具、数码相片、DVD，甚至第96页所介绍的计时马桶座，全都依靠二进制电子信号而运行。

现在，先来瞧瞧Z教授的疯狂计算机是怎么运行的。

1. 键盘会把你输入的字母转换成一串二进制数码，然后以电流信号的形式传给计算机。

2. 利用光学鼠标操控屏幕上的光标。当你移动鼠标时，里面的迷你摄影机会拍下鼠标下方景象的变化，以此分析出鼠标的动作路径，然后将这些信息传给计算机，改变屏幕上光标的位置。

3. 屏幕会显示各种信息。

4. 计算机内部具有各种不同的芯片，分别负责不同的任务，例如：内存的芯片可以把信息以二进制的形式储存起来。

计算机控制全世界

因为芯片越来越小、越来越复杂，所以计算机的速度可以一年比一年快，功能也越来越强大。在每年诞生的新发明中，利用计算机操控的机器也越来越多，例如：以计算机遥控在其他行星上进行探测任务的机器人，还有防打鼾的高科技床铺……这是真的！ 2004年，瑞典科学家发明了史上第一张由计算机控制的止鼾床，在你打

鼾时可以把你摇醒。

顺便说一句，上面的介绍还不足以说明计算机的真本事。以电视机为例，今天的数字电视机和老奶奶爱看的那种画面模糊的老式电视机相比，简直是天壤之别。数字电视机可以解读二进制信号，这种信号事先都经过"压缩"，滤除了一部分信号，不过你根本察觉不到，但电视台却因此可以传送更大量的数据。

当电视台可以传送更多数据，代表可以提供更大、更清晰的画面以及更多的频道。什么？你对数字电视已经感到厌烦了？嗯，你还可以收听数字收音机。数字收音机使用了相同的技术，因此可以提供音质非常清晰的频道。当然，你还可以用计算机玩游戏，就算到了89岁还是可以和好朋友一起玩，如果你到那时候还能打计算机的话……

够了，请继续！

计算机变酷了

关于谁发明了计算机游戏，专家们的意见并不一致，不过美国科学家威利·希金波坦在1958年就制造出了一台原始的电脑游戏机。威利在实验室开放参观的那一天，展示了一个单调的乒乓球游戏。但奇怪的是，几百个人排队等着要玩这个笨游戏……嗯，因为从来没有人见过这种游戏。很多年之后，威利的孩子问他，为什么没有靠这部机器赚大钱？这位科学家耸耸肩说，他根本没想到替这个点子申请专利。嗯，人生总是有得有失……

20世纪60年代，美国国防部计划把计算机连接成一个网络。这么一来，即使发生核战争，至少还可以利用网络串联幸存的计算机，互相传递数据，保存重要信息。于是，美国的保罗·巴伦和英国的唐纳德·戴维斯发明了一种网络系统，让计算机可以通过电话线传

送信息。后来这项发明扩展成一个连接全世界的信息网络，我们称它为因特网。

因特网

1969年　连接了4部计算机。

1971年　连接了23部计算机。

1998年　连接了1.3亿部计算机。

今天　　超过5亿部计算机连接在一起。

20年后，科学家蒂姆·伯纳斯—李发明了万维网，这是一种寻址系统，可以让你找到并开启因特网上的文件。万维网能帮助你找到因特网上的任何数据……文字、照片、影片，甚至"可怕的科学"的网站都找得到！

你肯定不知道！

你可能知道可以利用因特网找到任何资料……但是你一定不知道，因特网还可以把信息放到你的吐司面包上！2001年，一位英国科学家发明了一种会上网的烤面包机，可以把今天的天气——晴、阴或雨等图案烤在吐司面包上。

不仅如此，在 20 世纪 90 年代，瑞典一家公司还发明了全世界第一台可以上网的智能型冰箱。

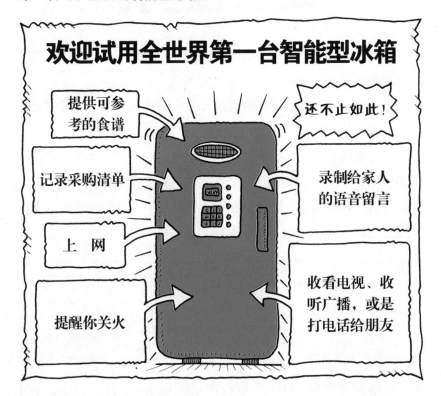

欢迎试用全世界第一台智能型冰箱

提供可参考的食谱

记录采购清单

上　网

提醒你关火

还不止如此！

录制给家人的语音留言

收看电视、收听广播，或是打电话给朋友

这项发明是不是很酷呢？不过，等一下！如果冰箱比你的妹妹还聪明，会不会有点儿恐怖呢？嗯，至少发明家设计这台冰箱的本意是想让你的生活更方便。

但下一章要介绍的发明，设计的目的就是要杀人与摧毁城市，那才真的恐怖呢！

说到恐怖的发明……

快逃，教授！

恐怖的原子弹

还记得阿基米德为了捍卫自己的城邦，抵抗古罗马人的攻击，设计了哪些战争机器吗？

在战争期间，发明家常常会设计杀人的武器。第二次世界大战期间，发明家就身处交战的"前线"，他们必须设计出更强大的炸弹、更先进的军用飞机以及更可怕的坦克。在当时的美国，来自不同国家的科学家组成研究团队，奉命发明有史以来最具毁灭性的武器，而这些科学家认为自己是在拯救世界……不过在我告诉你事情的经过之前，必须先解释几个艰深的科学名词：

1. 原子的中心叫作原子核，是由称为中子和质子的微小粒子所组成的。

2. 一些很重的原子具有危险的放射性，会释放对人体有害的粒子，例如中子。

3. 越重的原子含有越多的中子和质子（所以它们才这么重呀），例如铀和钸。

爱因斯坦的警告

美国长岛，1939年7月19日

西拉德和维格纳两位科学家感觉又热又累，因为他们已经开了好几个小时的车，而且沮丧地发现：自己迷路了！

"我们放弃吧！回家算了……也许命运注定如此。"西拉德对驾驶座上的维格纳说。

"不，我们找个小孩问问路吧！"维格纳说，"毕竟每个小孩都

认识他。"

运气不错，没多久他们就看到一个小男孩拿着钓竿站在路边。

"请问，你知不知道爱因斯坦住在哪里？"西拉德问。

"当然知道。"小男孩回答，然后用手指向右边那条路。

"我就说吧！没有小孩不认识他。"维格纳一边说，一边把车子驶向右边。

西拉德心想，这就是他们千辛万苦来到这里的目的：为了让这样的男孩能拥有光明的未来。

不过现在，这两位科学家的内心十分焦虑，因为他们接下来要做的事可能会改变全世界的命运。

时间回到 1933 年，西拉德发现：如果对着放射性原子发射中子，会使原子分裂并释放中子，而被释放的中子再撞击其他原子，又可造成原子核分裂并释放新的中子……如此形成一连串的连锁反应，造成巨大的爆炸。而当时的德国科学家汉因和托特拉斯曼已经成功引发连锁反应了。

西拉德和维格纳都是匈牙利裔的犹太人，而德国纳粹党憎恨犹太人，因此两人都受过纳粹支持者的迫害，远离自己的家乡。而现在，他们听到一则更恐怖的消息：德国将利用这项科学成果研发出史上威力最强大的炸弹——足以摧毁一座城市的原子弹！如果纳粹党真的制造出这种炸弹，就能征服全世界。

两位科学家的汽车在扬起的烟尘中停在一栋破旧的小屋前，一位老人从小屋中走出来并打量着他们。他有一头白色的乱发，穿着短裤和凉鞋。终于找到他了！他就是爱因斯坦，全世界最有名的科学家。两位科学家都曾经当过他的学生，西拉德毕业后还曾经和爱因斯坦合作设计了新式冰箱。

在凉爽的阳台上喝过茶后，爱因斯坦静静地聆听西拉德和维格纳说明原子弹的危险性。他很惊讶自己平常太专心于研究，没有注意到科学上的最新发展。接着，他低下头说："没想到事情会变成这个样子。"

爱因斯坦的内心受到很大的震撼。他痛恨战争，所以，虽然自己是德国人，但是他拒绝支持自己的国家，而且和这两位访客一样，他也是犹太人，也被迫逃到美国。

3位科学家决定向美国总统发出警告，告诉他这种新式炸弹的危险性，于是决定由西拉德写一封信，爱因斯坦在上面签名。看到这封信之后，罗斯福总统决定启动史上最大型的炸弹研究计划，西拉德和维格纳都参加了这个团队，但爱因斯坦基于政治理由并未参与。

18个月之后，这个科学家团队决定启动原子弹项目，但是西拉德却感到悲伤。

"今天将成为人类历史上最黑暗的一天。"他有感而发地说。

西拉德对这种新式炸弹计划心存疑虑，因此很快就跟军方负责人格鲁夫将军闹翻而退出。同一时间，科学家团队制造出两种炸弹，一种以铀为原料，另一种以钚为原料。

但在这个时候，德国已经战败，科学家团队才发现真相：根本没有什么纳粹炸弹，德国科学家也不会制造这种炸弹。但是此时美国和日本正在交战，西拉德拼命向美国总统杜鲁门陈情，拜托他不要启动原子弹。但是杜鲁门总统不听，下令对日本投掷两颗原子弹。

1945年8月6日那天，天气非常好。上午，一架名叫艾诺拉·盖的轰炸机在日本广岛投下一颗原子弹。几分钟之内，广岛34万人口中的1/3就消失了，只留下燃烧中的废墟，以及被炸伤或炸瞎眼的幸存者，带着可怕的伤势在地上爬行。3天后，另一颗原子弹摧毁了长崎市，于是日本投降了。

除了日本之外，很多国家都很高兴美国投下了原子弹。他们认

为原子弹提早结束了战争，减少了更多痛苦的折磨。但是，并不是每个人都同意这种说法。当有人告诉爱因斯坦在广岛发生的事情时，他把头埋进双手里，不忍地说："哎，为什么会这样？"

这位性情温和的老科学家为了原子弹所造成的悲剧而深深自责。后来他说，如果早知道会发生这样的结局，他宁可去当一名钟表匠。不过，战争期间的发明就是这么疯狂……这些疯狂的发明一旦被想出来，就不会被轻易舍弃。

你肯定不知道！

退出美国原子弹计划的科学家除了西拉德，还有波兰出生的约瑟夫·罗布拉特。1945年之后，美国与苏联各自发展了更具毁灭性的炸弹，而且数量多到足以毁灭全人类。后来，约瑟夫将他的余生致力于世界和平，他将两国的科学家召集起来，对他们宣传战争的丑恶。到了1995年，经过50年的努力，约瑟夫终于获得诺贝尔和平奖。

今天，归功于全球各地的抗议人士，世界各国签订了一些限制毁灭性武器扩散的条约。当然，那些毁灭性武器仍然存在，但至少人们正努力控制它们。

尾声：发明邪恶吗

有些发明一开始就带有不好的目的，也对人类造成了不好的影响。例如虐待和谋杀人的机器，以及战争武器；还有一些发明，虽然发明家的初衷是好的，但却出现意料之外的不良结果，例如可怜的托马斯·米奇利和他所发明的氟利昂。

不过，大多数的发明都不是这样的。我是说，你总不会说自行车、电视或计算机很"邪恶"……除非你骑自行车碾过父母辛苦整理的花园，或是整天看电视和玩计算机游戏，那真的"非常邪恶"，而且你的父母可能会气疯了。不过，凭良心说，这也不能怪这些发明。

有些发明很有用，对人类做出了很大的贡献，例如救命的灯塔以及安全带。1958年，瑞典发明家尼尔斯（1920—2002）设计出对角线式的安全带，它能斜跨过乘客的身体，把人的全身紧紧固定在座位上。旧式的安全带只能固定腰部，车祸发生时乘客的头很容易撞到挡风玻璃。尼尔斯的发明和旧式安全带相比，既安全又舒适，因此富豪汽车公司在贩卖这种安全带时并未申请专利，希望每家汽车公司都可以模仿这个点子。

今天，世界上的每部汽车都附有尼尔斯发明的安全带，并因此挽救了无数条人命。尼尔斯说：

有时我会接到使用者打来的感谢电话，因为我的安全带让他们在车祸中活下来。这些电话让我感到很欣慰，因为它们证明了我对人类有所贡献。

除了这个，还有什么更好的理由驱使人们发明新事物呢？任何发明本身都没有对错，全看我们怎么使用它。邪恶或善良的发明，全在我们的选择。"可怕的科学"祝大家发明愉快！

说得真好！现在可以放我下去了吧？

嘻嘻！

邪恶的发明训练营

现在看看
你是不是一名
人类发明史的专家！

爱迪生灵光一闪

你已经完成了一趟神奇的发明之旅。这一路走来，你觉得自己最像书中哪位有趣的人物呢？你能不能成为一位既聪明又了不起，即将改变世界的发明家？或者你注定只会发明一些愚蠢的东西？完成下面的测验，你就知道了……

了不起的发明家

每一项发明都是从某位天才发明家的大脑中诞生的。瞧瞧下列这些神奇的发明，你能不能为这些发明找出它们的发明者呢？

1. 这位意大利人灵机一动，开始研究无线电波，并进行电磁学实验，最后发明了无线电。

2. 两位活力充沛的发明家，因为在 1783 年发明热气球而显得"热"情洋溢。

3. 这位很酷的科学家发明了万维网，这项 20 世纪的重大科技发明建立了遍布世界的信息网络。

4. 这位意大利人是天才中的天才，一生中绘制了很多奇妙机器的草图，例如直升机或潜水艇，可惜人类的科技在他过世之后好几百年，才有能力实现他的构想。

5. 第二次世界大战期间，这位聪明的英国人是位老练的密码破解专家，甚至发明了可以破解密码的神奇机器。

6. 这位古希腊的天才利用杠杆和螺旋把巨大的物体吊高，许多现代机械仍然沿用他的方法。

7. 这对聪明的兄弟在 1903 年让他们的"飞行者"1 号飞上了天空，"飞行者"1 号是史上第一架动力飞行器。

8. 这位杰出的美国发明家拥有满肚子的点子，其中包括灯泡和记录声音的器材。

a）莱特兄弟

b）蒂姆·伯纳斯—李

c）爱迪生

d）古列尔莫·马可尼

e）阿基米德

f）蒙特哥菲尔兄弟

g）图灵

h）达·芬奇

　　1. d）；2. f）；3. b）；4. h）；5. g）；6. e）；

7. a）；8. c）。

时来运转的运输工具

如果没有汽车、火车或飞机，你能想象生活会变成什么样子吗？一定必须天天走路，走到脚酸得不得了……不过在发明家研究轮子、翅膀，以及发明高科技运输工具之前，古时候的人就是过着那种生活。下列有关运输工具的问题，你能不能选出正确的答案？

1. 不可思议的点子王——达·芬奇想出了好几百种新的运输方式，他是如何防止别人剽窃他的想法的呢？

　a）把笔记本藏在地板下

　b）在去世之前，把所有的笔记本都投入熊熊烈火中

　c）用密码写笔记

2. 德雷贝尔在 1620 年使用什么作为潜水艇的动力来源？

　a）汽油发动机

　b）船桨

　c）用手转动的螺旋桨

这些交通工具真刺激！

3. 哪位杰出的发明家在 1892 年制造出一种新型汽车发动机，不需要火花塞就能使活塞进行来回的直线运动？

　a）鲁道夫·狄塞尔

　b）派西佛·石尤

　c）亨利·福特

4. 理查德·特里维西克利用什么神奇的物质推动蒸汽火车头？

　a）热巧克力

　b）油

　c）水蒸气

5. 詹姆士·史达雷在19世纪发明了哪种奇怪的自行车，想要挑战它的疯狂骑士必须先爬上墙头，才能跨上它的椅垫？

　　a）大小轮自行车

　　b）尖轮自行车

　　c）散骨车

6. 卡尔·奔驰在1884年制造的疯狂汽车上共有几个轮子？

　　a）两个

　　b）3个

　　c）没有轮子……它和雪橇一样靠狗儿拉动

7. 乔治·威斯汀豪斯发明了什么装置可以让铁轨上的火车减速，以避免车祸？

　　a）气压式刹车

　　b）红绿灯

　　c）在铁轨终点盖一堵砖墙

8. 玛丽·安德森在1905年取得一项专利，可以保护在暴风雨中开车的人，请问那是什么？

　　a）车头灯

　　b）橡胶轮胎

　　c）挡风玻璃的雨刷

答案

　　　1. c）；2. b）；3. a）；4. c）；5. a）；6. b）；
7. a）；8. c）。

残酷的刑具

几百年来，疯狂的发明家常常发挥想象力，设计出许多用来杀人或是虐待人的残酷机器。请阅读以下描述，看看你能不能认出这些刑具。

残酷？可是从来没有受刑者抗议过啊！

1. 法国人查尔斯·圣尚曾经使用这种机器砍掉受刑人的头，而这种机器的受刑人大多数是法国大革命期间的法国皇室贵族。请问这是哪一种杀人机器？

2. 这种刑具出现在 16 世纪，受刑人在行刑时要先被绑在架子上，然后身体会被残忍地拉长。这种可怕的刑具叫什么？

3. 1890 年，美国法庭首次利用这种杀人机器来处决犯人，而且当时的美国人还戏称它为"老烟枪"。这是哪一种残忍的死刑机器？

4. 古代的中国人一开始用它来燃放烟火，后来在战争中作为攻击的武器。这种"爆炸性"的发明是什么呢？

5. 在 17 世纪，有种刑具可以挤碎犯人的手，逼他们招供。这是哪种可怕的刑具？

6. 这是威廉·丘比特在 19 世纪发明的机器，起初是用来逼迫犯人不断走路的刑具，现在这种机器仍然出现在世界各地的健身房中，只是改名叫跑步机，专门提供对健美有狂热爱好的人使用，这些人自愿接受虐待！这是什么残忍的刑具？

7. 海润·马信爵士在 1884 年发明了一种杀人机器，而且在第一次世界大战期间被广泛使用。这种杀人机器叫什么？

8. 很像手铐，可以把犯人吊在监狱的天花板上，直到招供为止。这是什么刑具？

答案

1. 断头台；
2. 伸展肢刑架；
3. 电椅；
4. 火药；
5. 便携拇指夹；
6. 累死人踏车；
7. 机关枪；
8. 脚镣。

是一位坏脾气的老师吗？

疯狂的发明

对于发明家而言，任何发明都免不了受到批评；不过有时候非常怪异的点子，也有可能会受到人们热烈的欢迎。请看看下列叙述，判断哪些是真的？哪些是捏造的？

1. 1890 年，聪明的办公室职员丁书基因为讨厌从窗户吹进室内的风老是把纸吹得满天飞，所以发明了订书机。

2. 第二次世界大战期间，疯狂的英国科学家杰弗里·帕克发明了不会沉没，而且用冰制造的航空母舰！

3. 在 19 世纪，一名疯狂的矿工精心设计了一种钻子，可以绑在马的脚上，让马可以帮忙挖煤矿，有时还能拯救矿工的生命。

4. 据说三明治是英国的三明治伯爵在 1762 年发明的，当时他打了很久的扑克牌，觉得肚子很饿，于是发明了三明治。

5. 1932 年，英国伦敦南部的克里登发生了一场连环车祸，结果促成了红绿灯的发明。

6. 1998 年，两位聪明的发明家制造了一种能帮宠物洗澡的奇怪机器，它可以帮猫狗洗澡并烘干。

7. 2000 年，有位美国发明家设计了一种特殊的裤子，上面有个垫子可以过滤你放的屁，这样就不会因为放屁时的臭味而感到尴尬了。

8. 从牛仔裤到铅笔盒，到处都看得到拉链。最早的拉链是由一位叫作伍拉连的发明家设计的，他在一场意外中失去了双手，所以需要一种用牙齿就可以把东西固定的工具。

吼，这本书的内容越来越愚蠢了！

咚 嘻！

答案

1. 假的。订书机是美国人琼·巴柏在1867年发明的。不过，传说法国国王路易十五比巴柏早100年就使用过手工订书机了。

2. 真的。听起来好像很疯狂，但这项怪异的发明混合了冰和木屑，真的制造出600米长的大船。

3. 假的。采矿是一项十分危险的工作。矿区的马是用来搬运煤炭的，而不是用来挖矿的。

4. 真的。爱打牌的伯爵说，他最喜欢这种食物，因为可一边吃东西，一边玩牌。

5. 假的。1868年，伦敦的国会大厦外第一次使用红绿灯，目的是为了避免马车撞在一起。但很不幸的是，当时的红绿灯是以瓦斯作为燃料的，结果瓦斯爆炸，炸死了一名警察！

6. 真的。只要把你的猫狗扔进这部机器里搅一搅，保证能将它们"搅"得一尘不染。

7. 真的。这种很棒的"屁裤"经过精心设计，绝不漏气，所以屁也漏不出去。

8. 假的。这种很棒的固定方式是美国人威特康·朱迪森发明的。他设计拉链的初衷是想帮助一位朋友，那个人因为背痛而无法弯腰绑鞋带。

猜字谜

下列每一道题目的提示字经过重新排列后，发音就会和答案相同。猜猜看，它们是哪些便利的发明呢？

1. 是店。（提示：工程师贝尔德想都想不到，他的这个娱乐机

器会这么受到懒骨头的欢迎。）

2. 包面烤鸡。（提示：这是康普顿公司在 1893 年设计出来的产品，当时的人都认为，这是继吐司面包之后最棒的发明了！）

3. 晨吸气。（提示：发明家休伯特·塞西尔·布兹用这个机器把家里打扫得很干净。）

4. 终闹。（提示：有了这种最佳定时器，上学就不会迟到了。）

5. 字鸡收束阴。（提示：科学家马可尼灵机一动，创造出了这个产品，我想他一定很骄傲。）

6. DDV 放鸡钵。（提示：日本人在 20 世纪 90 年代发明了这种多媒体播放器。）

7. 鸡守。（提示：这个精巧、酷炫的通信设施是马丁·库珀灵光一闪的产物，他是从电影《星际迷航》中得到的灵感。）

8. 钵卢危。（提示：一位机智的发明家赋予"快餐"一种新的意义。）

答案

1. 电视；2. 烤面包机；3. 吸尘器；4. 闹钟；5. 数字收音机；6. DVD播放机；7. 手机；8. 微波炉。

"经典科学" 系列（26册）

肚子里的恶心事儿
丑陋的虫子
显微镜下的怪物
动物惊奇
植物的咒语
臭屁的大脑
神奇的肢体碎片
身体使用手册
杀人疾病全记录
进化之谜
时间揭秘
触电惊魂
力的惊险故事
声音的魔力
神秘莫测的光
能量怪物
化学也疯狂
受苦受难的科学家
改变世界的科学实验
魔鬼头脑训练营
"末日"来临
鏖战飞行
目瞪口呆话发明
动物的狩猎绝招
恐怖的实验
致命毒药

"经典数学" 系列（12册）

要命的数学
特别要命的数学
绝望的分数
你真的会＋－×÷吗
数字——破解万物的钥匙
逃不出的怪圈——圆和其他图形
寻找你的幸运星——概率的秘密
测来测去——长度、面积和体积
数学头脑训练营
玩转几何
代数任我行
超级公式

"科学新知" 系列（17册）

破案术大全
墓室里的秘密
密码全攻略
外星人的疯狂旅行
魔术全揭秘
超级建筑
超能电脑
电影特技魔法秀
街上流行机器人
美妙的电影
我为音乐狂
巧克力秘闻
神奇的互联网
太空旅行记
消逝的恐龙
艺术家的魔法秀
不为人知的奥运故事

"自然探秘" 系列（12册）

惊险南北极
地震了！快跑！
发威的火山
愤怒的河流
绝顶探险
杀人风暴
死亡沙漠
无情的海洋
雨林深处
勇敢者大冒险
鬼怪之湖
荒野之岛

"体验课堂" 系列（4册）

体验丛林
体验沙漠
体验鲨鱼
体验宇宙

"中国特辑" 系列（1册）

谁来拯救地球